Un si bel espoir

Michel Ragon

Un si bel espoir

ROMAN

LE GRAND LIVRE DU MOIS

22, rue Huyghens, 75014 Paris

ISBN 2-7028-2490-0

À Michel Chaillou.

Avec un sourire plus doux
Que celui des herbes sous la rosée,
Ils me disent tous que la vie est si belle
plus loin !
Ô vous, qui venez de partout,
Répondez-moi sans ruse ; puis-je partir
là-bas
Menant derrière moi mes pauvres
camarades

Armand Robin,
Le temps qu'il fait,
Gallimard, 1941.

1.

LE 23 février 1848, le vicomte François René de Chateaubriand qui s'est dépeint dans sa vieillesse *seul de son temps devant le rideau baissé, avec le silence et la nuit,* est brusquement réveillé dans son appartement parisien, vers trois heures de l'après-midi, par un bruit inhabituel.

Il appelle un domestique et lui demande ce que c'est.

– Sa Majesté Louis-Philippe est renversée, Monsieur.

Chateaubriand, né sous Louis XV, en a vu d'autres. Il bougonne :

– C'est bien fait !

Et retombe dans son apathie.

Ce que le vicomte avait perçu comme un simple bruit était en réalité un effrayant vacarme. Et dans ce bruit se trouvait Hector, qui participait à ce brouhaha. Hector qui courait, comme tout le monde, emporté par la foule, emporté par un immense espoir. On voulait savoir. On courait aux nouvelles. Bizarrement, tous les soldats du roi avaient disparu. Les seuls uniformes, dans la mêlée, étaient ceux des gardes nationaux. Mais les gardes nationaux eux-mêmes s'associaient à la révolte. Ils brandissaient leurs fusils vers un ennemi invisible. Et les ouvriers en blouse agitaient aussi des fusils. Et les étudiants. Et même certains bourgeois à gibus. Des grisettes, des gamins à casquette, criaient on ne sait quoi. De temps en temps, la foule s'arrêtait à un carrefour et laissait passer les charrettes où l'on avait entassé les blessés et les morts. Il se produisait alors un grand silence que déchiraient très vite des murmures, puis des cris de vengeance.

Dans la matinée, on s'était battu aux barricades de la place du Château-d'Eau. Vers midi, la marée humaine déferla sur le palais des Tuileries, l'envahit, le dévasta, brisant les miroirs, les lustres, les vases de Sèvres, déchirant les tentures, à la recherche puérile du trône, qu'elle voulait souiller. Comme s'il s'agissait d'un objet du culte. Le trône découvert, chacun prétendit s'y asseoir. Comme tant de prétendants l'avaient fait depuis tant de siècles, à son tour le peuple se bousculait devant le trône.

On se poussait. On s'écartait d'un coup d'épaule. Le trône avait beau offrir une large assise, digne de fesses royales, le peuple tout entier ne pouvait s'y asseoir à la fois. On s'agrippait. On se débattait. La foule, qui avait envahi la galerie de Diane et le vestibule, s'impatientait. On s'interpellait à grands cris. Il y avait des poussées brutales et des cris féroces. On s'étouffait. On se débattait pour ne pas être écrasé. Et puis, soudain, catapulté, la face congestionnée par l'effort, un individu se trouvait sur le fauteuil royal, de guingois, cramponné aux accoudoirs. Vite arraché, éjecté par ses comparses. Automatiquement remplacé par un nouveau prétendant qui, lui-même, ne restait roi qu'une seconde. Il y avait, dans cette ruée vers le trône, dans cette précipitation, comme un résumé dérisoire, en accéléré, tragi-comique, de la comédie des successions princières. Quatorze siècles couronnés défilaient à toute vitesse, en une parodie grotesque. Louis-Philippe avait fui, sa couronne dans sa poche, mais il n'avait pu s'accrocher le trône au derrière. Le peuple, tête nue, n'aspirait qu'à s'y asseoir.

Finalement une équipe ordonnée s'interposa, repoussa ceux qui se bousculaient, s'empara du meuble, le tint à bout de bras, descendit le grand escalier. Et le trône, comme un cercueil, fut porté dans la rue sur les épaules de quatre ouvriers en blouse.

Derrière cette marche funèbre, une procession se forma, scandée par les roulements de tambours dérobés aux gardes. Le cortège passait par le boulevard des Capucines lorsque Hector, ne comprenant pas pourquoi venait en sens inverse cette multitude chantant *La Marseillaise*, se sentit agrippé par le bras et tiré en arrière. Des chevaux emballés, qui avaient désarçonné leurs cuirassiers, renversaient les piétons, les piétinaient. Aux chants de joie succédaient les cris de terreur et des hurlements de douleur.

Hector regarda avec stupeur l'homme qui l'avait protégé et qu'il ne connaissait pas.

– Venez, dit celui-ci. On brûlera le trône place de la Bastille.

– Je vous dois une fière chandelle !

L'inconnu se contenta de rire. Âgé sans doute d'une trentaine d'années, vêtu d'un sarrau sombre et coiffé d'une casquette à visière, une moustache blonde lui donnait un air guilleret.

Comme pour répondre à la question qu'Hector n'avait pas posée, l'inconnu dit :

– Bourrelier, citoyen. Voilà pourquoi j'ai l'habitude des chevaux. Et vous ? J'hésite. Vous n'êtes pas des nôtres et, pourtant, je ne vous vois pas en bourgeois.

– Je suis architecte.

– Architecte ? Sans blague ! Ça existe vraiment ! Un architecte dans la rue, comme tout le monde ! Le hasard a parfois la main heureuse. J'aurais pu sauver par inadvertance un agioteur. Et vous êtes architecte ! Le peuple aura tant besoin de vous.

Le trône et sa procession arrivèrent au pied de la colonne de Juillet bien avant qu'Hector et le bourrelier puissent y accéder. À partir de la place du

Château-d'Eau, où les barricades éventrées ne servaient plus que de tribunes à quelques discoureurs attardés, les deux hommes entendirent des roulements de tambours. Mais on ne guillotinait pas place de la Bastille, comme en 93. Les tambours saluaient simplement le sacrifice du trône. Lorsque Hector et son compagnon purent s'approcher, des flammes léchaient la colonne et, autour de l'autodafé, des rondes se formaient. On se tenait par la main, dans une joyeuse farandole.

– Ne nous attardons pas, dit le bourrelier. Tout va se jouer à l'Hôtel de Ville.

Dès l'église Saint-Gervais l'ambiance devint tout autre. Des charrettes arrivaient de partout, emplies de cadavres. Les corps ensanglantés étaient jetés sur les marches de l'Hôtel de Ville et dans les cours. On les empilait place Saint-Jean où ils dégageaient déjà une odeur abominable. Et comme si ce spectacle macabre ne suffisait pas, des individus, répondant à on ne sait quel ordre, traînaient sur les pavés des cadavres de chevaux liés par des cordes et les abandonnaient place de Grève. L'Hôtel de Ville se teintait de rouge, du rouge de ce sang abondamment répandu. Et face à l'ébauche du gouvernement provisoire de la République, plus assiégé que conquérant, une ruée d'hommes et de femmes exaltés brandissaient des lambeaux d'étoffes écarlates au bout de bâtons et de piques.

Hector et le bourrelier ne purent approcher de

l'Hôtel de Ville. On leur dit que le drapeau rouge avait été refusé et que Lamartine imposait le drapeau tricolore.

– Dommage, dit le bourrelier. Le rouge n'est pas seulement la couleur du sang, c'est aussi celle des cerises.

Hector restait silencieux. On eût pu croire que cet ouvrier le subjuguait, alors que, tout bonnement, il l'émouvait. Ce compagnon improvisé le ramenait doucement à son enfance, un peu oubliée depuis que la mort de ses parents l'avait détaché de ce quartier Mouffetard où il était né. Son père y était charpentier, sa mère ravaudeuse. La passion du père pour les ajustages de poutres, de chevrons, de lattis ; le soin qu'il mettait à équilibrer les arbalétriers, ces verrous des liens de faîtage ; les poinçons et les contrefiches, tout ce méticuleux travail où s'alliaient l'intelligence et la force, Hector en avait hérité. Admis à quinze ans à l'École des beaux-arts, son origine sociale stupéfia ses condisciples. Un fils de charpentier devenir architecte, ça ne s'était jamais vu ! Cette hérédité du travail manuel ne pouvait, pensait-on, que nuire à sa destinée d'intellectuel. Hector était un élève appliqué, modeste, persévérant. Lorsqu'il fut admis comme logiste pour le prix de Rome, certains trouvèrent qu'il exagérait. Il eut le bon ton de ne pas insister. D'ailleurs le séjour à Rome ne l'intéressait pas. Il préférait aller au Jardin des Plantes admirer les serres faites de métal et de verre. Ses condisciples le jugeaient un peu simplet. Au fond, c'était logique : le fils du charpentier construirait des hangars.

Hector, à trente-deux ans, n'avait encore rien réalisé de sensationnel. Mais il couvait des idées, des idées étranges qui le faisaient déjà considérer comme farfelu lorsqu'il était étudiant. Il lui arrivait de consacrer une journée entière à parcourir les vieux quartiers de Paris, canne métrique en main, et à mesurer la largeur et la hauteur des porches. Il s'attardait dans les rues étroites autour du Châtelet et du faubourg Montmartre, examinant les cours jonchées d'immondices, mesurant toujours. Au-delà de l'arc triomphal de la porte Saint-Denis, l'herbe poussait entre les pavés et les constructions devenaient plus rares. Il arpentait les terrains vagues, contournait les maisons à jardinets, sa canne métrique toujours en main, notait sur un carnet ses observations. Si ses anciens condisciples l'avaient aperçu, ils l'auraient accusé d'idiotie. Mais Hector suivait son idée, son idée fixe : trouver les mesures idéales pour un habitat bon marché, permettant d'économiser sur les matériaux. Il était à la recherche d'un module qui lui permettrait de construire vite. Tout le contraire de ce qu'on lui avait appris à l'École. Ses condisciples les plus remarqués étaient ceux qui savaient dessiner en artistes et agrémenter de beaux tons aquarellés leurs projets somptueux : façade de palais, pavillon d'été pour un souverain, opéra, musée. En 1839, puisque le sujet imposé pour le grand prix de Rome était : « Hôtel de Ville pour la capitale d'un vaste et puissant Empire », il s'appliqua à esquisser un projet qu'il intitula : « Hôtel-Dieu pour les malades et les indigents d'une ville banale et modeste ».

Le président du jury lui demanda à mi-voix s'il était républicain.

– Je ne sais pas, monsieur, répondit-il. Toutefois, si se préoccuper de la chose publique...

Mais l'homme de l'Institut tournait déjà les talons.

L'« Hôtel de Ville pour la capitale d'un vaste et puissant Empire », Hector le voyait devant lui. Moins colossal que les projets pour le prix de Rome de 1839. Néanmoins fastueux avec sa belle tour de l'horloge surmontée d'un lanterneau, ses lucarnes faîtières ouvragées, les ornements de sa double rangée de fenêtres, ses deux grands porches sous lesquels s'engouffraient des hommes et des femmes surexcités, armés de bâtons, de piques arrachées aux grilles des jardins du Louvre.

Il semblait à Hector que ce monument investi par une foule hurlante, ce monument qui paraissait tremper dans le sang, avec tout ce rouge des drapeaux et ces traînées écarlates laissées par les blessés et les morts, il lui semblait que ce palais assailli, malmené, représentait l'agonie d'une architecture qu'il méprisait parce qu'elle méprisait les humbles.

– Vous n'êtes pas très bavard, dit le bourrelier. Regretteriez-vous Louis-Philippe ?

– Je n'ai jamais aimé Louis-Philippe.

Et Hector ajouta, après un moment de silence, comme s'il s'agissait d'une évidence :

– Ah non ! Je n'aimais pas Louis-Philippe qui n'aimait pas le chemin de fer !

– Et alors ? On a bien de pires raisons de le mépriser !

Hector sortit soudain de sa réserve, exalté, volubile :

– Qui n'aime pas le chemin de fer n'aime pas le progrès, n'aime pas l'avenir, n'aime pas la liberté.

– La liberté ?

– Oui, le chemin de fer permettra à quiconque de quitter son village, de parcourir le pays à la recherche d'un travail, d'un logis, d'un amour. Le paysan ne sera plus rivé à la terre, comme un forçat à ses chaînes. Il prendra le train. Il arrivera dans les villes, se joindra à cette armée du travail qui nous conduira vers des temps moins médiocres. Le chemin de fer, c'est le brassage des populations. Le train qui passera dans une province ouvrira toutes les portes interdites. Vous verrez, vous verrez comment le chemin de fer va transformer la vie. Et l'architecture...

– L'architecture ? Comment ça, l'architecture ? demanda le bourrelier, surpris et un peu narquois.

– Oui, le fer. Le chemin de fer, vous comprenez. Le fer, la fonte. La facilité avec laquelle on fera circuler le minerai, les pièces usinées. On construira des maisons en fer, comme des wagons...

– Comme vous y allez...

– Depuis que je suis sorti de l'École, je ne pense qu'à cette architecture de l'avenir. Je dresse des plans. Je pourrais construire dès maintenant à bon marché et vite.

– Ma foi, c'est votre métier. Mais je voudrais bien voir ça !

– Vous le verrez.

– Je m'appelle Bathild Mercier. Mon échoppe se trouve faubourg Poissonnière, à l'angle de la rue Bergère. Maintenant que la Révolution est faite vous m'y rejoindrez toute la sainte journée, si le cœur vous en dit.

Et Bathild s'en alla, en soulevant légèrement sa casquette.

Hector habitait au quartier Latin, tout près du Panthéon. Il lui plaisait de ne pas trop s'éloigner des lieux de son enfance et de demeurer au milieu des étudiants peu fortunés. Manière peut-être de repousser l'âge adulte. Célibataire, il vivait au jour le jour, sans soucis matériels. Il aimait cette bohème du quartier Latin, ces demoiselles de petite vertu qui venaient se percher dans une mansarde en chantonnant et en repartaient un beau jour, joyeuses, ayant pris garde à ce que la porte de la cage reste ouverte.

Il aimait ces artisans toujours de bonne humeur, qui rétamaient des casseroles, ressemelaient des chaussures, recollaient des pots cassés, taillaient des habits, cardaient la laine, découpaient le cuir, tannaient des peaux de lapin ; ces artisans gouailleurs, chanteurs, cancaniers. Il aimait aussi les rues tortueuses de la montagne Sainte-Geneviève, cette intimité d'un vieux quartier aux maisons lépreuses. Et cela correspondait mal à ses théories, aux esquisses de l'architecture qu'il élaborait, tout en angles droits, sévère, rigoureuse.

Hector détestait qu'on lui souligne ces contradictions. Il répondait avec humeur qu'il avait bien droit à la complexité et que c'est en étudiant de près les vices du vieux monde qu'il pourrait mieux y apporter remède.

Dénué de sens pratique, notamment du sens des affaires, son diplôme d'architecte ne lui eût pas fourni une seule commande s'il ne s'était associé à un de ses anciens camarades. Ambroise Lagut admirait Hector. Seul, à l'École des beaux-arts, il avait remarqué ce qu'il appelait, au risque de se ridiculiser, le génie du fils du charpentier. Les relations familiales d'Ambroise Lagut auraient pu lui assurer, dès la fin de ses études, une belle clientèle. À la surprise de ses parents et de ses condisciples, il préféra faire équipe avec Hector.

Hector l'épatait par sa culture littéraire. Ce n'était pas l'un des moindres paradoxes d'Hector que de répéter, dans les ateliers de l'École, qu'une tragédie de Corneille valait mieux qu'un discours de Vitruve. Et qu'un jour il dessinerait une architecture qui aurait une structure aussi parfaite que celle des vers de *Polyeucte*.

Tous les élèves riaient, sauf Ambroise, qui jamais ne se moqua des lubies d'Hector. Il était un peu gêné de cette manie de son associé qui ne quittait jamais sa canne métrique. Mais Hector lui avait répliqué :

– Tu ne trouves pas absurde que les dessins des bâtiments soient toujours établis en pieds et en toises, alors que le système métrique date des révolutionnaires de 1795 ? Cinquante ans de résistance, n'est-ce pas stupide ! Un décret de 1840 impose le mètre et rien n'y fait. Mesurer en pieds implique une marge d'erreur dans l'assemblage des matériaux. Les maçonnages en pierre tolèrent un centimètre d'incertitude. Mais le métal, mais les poutres de fer, demandent un calcul au millimètre près. L'avenir est à la fonte et au fer, tu le sais. Alors on ne peut plus se permettre le pied et la toise. L'architecture sera mathématique ou ne sera pas.

Grâce, justement, à la précision de ses plans, l'atelier d'architecture des deux associés subsistait en édifiant des chalets aux fleurs à la très fine structure métallique, sortes d'immenses ombrelles. L'un d'eux fut, pendant plusieurs années, l'une des grandes attractions des Champs-Élysées. Mais on ne considérait pas ces petites merveilles comme de l'architecture. Et quand les anciens condisciples d'Ambroise Lagut le rencontraient, ils se moquaient de la manière dont il s'était fait gruger par le fils du charpentier, constructeur de hangars.

Lorsque le gouvernement provisoire de la deuxième République proclamée le 25 février de cette année 1848 installa un hôpital et un arsenal dans le palais du Louvre, Hector se scandalisa. Non pas qu'il craignît que le Louvre fût endommagé par cette intrusion. Il se moquait bien de cette vieille architecture tout au plus bonne à abriter un musée, mais parce qu'il savait posséder les moyens de construire rapidement des hôpitaux, des ateliers gigantesques, dont la société moderne avait besoin.

Hector ne doutait pas de son destin. Il serait le grand architecte de l'ère industrielle. Cette conviction inébranlable entraînait son associé. La révolution de 1848 ne marquait-elle pas l'entrée triomphale de la France dans l'ère industrielle ? Et pourtant les patrons renâclaient. Par crainte de ce qu'ils appelaient le socialisme (mot nouveau épouvantable, comme tous les vocables en -isme), depuis février ils maintenaient leurs ateliers fermés. S'ensuivaient une crise économique qui mettait à mal la révolution et un chômage qui exaspérait les ouvriers. Situation paradoxale, les manufacturiers étaient bien conscients de cette ère industrielle grande ouverte, mais ils craignaient d'y inclure ces ouvriers, qualifiés par *Le Journal des débats* de « barbares des sociétés modernes se situant hors de la société politique, hors de la cité ».

Comment édifier une société industrielle sans y inclure les ouvriers de l'industrie ? Telle était la question... qui ne sera résolue que beaucoup plus tard.

Dans le domaine de l'architecture, Hector était un voyant. Il se perdait dans les arcanes de la politique. Là, tout s'obscurcissait. Rien ne l'étonnait plus que les enthousiasmes et les amnésies des thuriféraires de la politique. Deux mois après l'insurrection de février, tout le monde avait oublié Louis-Philippe dont le règne apparaissait aussi lointain et aussi bizarre que s'il s'était agi d'un souverain de la branche carolingienne. Le socialisme, ce vague socialisme qui effrayait tant la bourgeoisie, d'autant plus effroyable que personne ne savait vraiment ce que c'était, faisait les frais de toutes les conversations. Épouvantail pour les uns, espoir messianique pour les autres.

Ambroise Lagut se disait socialiste. Pour afficher ses idées avancées, il se laissait pousser la barbe. La barbe entière, la plus épaisse et la plus longue possible, était en ce temps-là un signe de progressisme. Les artistes, les étudiants, les journalistes, qui voulaient extérioriser leur esprit libertaire, portaient la barbe.

Bel homme, qu'Ambroise Lagut, grand, élégant, raffiné. Brillant causeur, il se taisait dès qu'Hector prenait la parole. Par déférence. Hector parlait peu et Ambroise savait que son associé ne parlait jamais pour ne rien dire. Aussi se gardait-il de l'interrompre. Il y avait toujours quelque chose à glaner dans ce que racontait Hector. Ambroise avait besoin d'arguments pour ses démarches. Puisque, bien sûr, c'est Ambroise qui trouvait les clients.

De cette association, seul Ambroise Lagut savait qu'Hector était la force motrice. Car rien, dans l'aspect physique d'Hector, ne faisait deviner son génie. De taille moyenne et d'une allure banale, il était de ces gens que l'on ne remarque pas. Seuls ses yeux verdâtres, par éclats intenses, éclairaient de temps en temps son visage. De colère ou d'enthousiasme. Les deux, peut-être. Même dans ces brefs moments d'exaltation, son maintien demeurait sobre. Il avait été trop longtemps rabroué à l'École des beaux-arts pour qu'il ne lui en restât la crainte d'être découvert. Il n'y avait qu'à Ambroise qu'il ne cachait rien.

Homme paisible, aimant par-dessus tout être enfermé entre quatre murs, dans le silence, pour étudier, calculer, dessiner, les émeutes de février avaient éveillé Hector d'un songe. Ce peuple qui envahissait les rues, dressait des barricades, bousculait l'armée, chassait le roi, ce peuple obscur devenu soudain souverain, ce socialisme qui illuminait l'ensemble d'une torche rougeâtre, se dressait devant lui comme une énigme. Il erra dans les rues enfiévrées de février, plus spectateur qu'acteur, jusqu'à ce qu'il rencontre le bourrelier.

« Vous n'êtes pas des nôtres et pourtant je ne vous vois pas en bourgeois. » Cette repartie de Bathild le troublait, mettant à vif sa bâtardise. Fils du peuple ouvrier de Mouffetard, il s'était déclassé par ses études avec les fils des bourgeois, sans que ces derniers l'acceptent comme l'un d'eux. Jamais il n'avait aspiré à s'intégrer dans la classe des maîtres. Il n'avait quitté Mouffetard qu'à la mort prématurée de ses parents et s'était installé non loin de là, dans ce quartier Latin, où il pratiquait une bohème besogneuse qui se situait en marge de toutes les classes.

Le socialisme d'Ambroise ne lui paraissait pas sérieux. Ce en quoi il avait tort, car Ambroise Lagut s'était profondément imprégné des théories de Fourier et de Proudhon. Son esprit pratique comprenait que le socialisme pourrait réaliser les théories révolutionnaires d'Hector.

Hector, lui, pensait à Bathild. En suivant Bathild, il avait vu la révolution en marche. Sans très bien comprendre ce qu'il voyait. Sinon que cette foule impétueuse représentait la masse pour laquelle il voulait construire. Le vieil Hôtel de Ville Renaissance, baigné dans le sang des morts de février, l'obsédait. Il discernait là le symbole de la fin d'un temps.

Plusieurs dimanches passèrent avant qu'Hector puisse se rendre faubourg Poissonnière.

L'étude d'un module pour un habitat populaire industrialisable le préoccupait beaucoup. Il recherchait la manière de commanditer par les sociétés de chemins de fer cette industrialisation du logement populaire, qu'il jugeait inéluctable.

Si bien qu'il négligea la fête de la Fraternité du 20 avril, curieuse cérémonie exaltant la force militaire et dont personne ne s'aperçut qu'il s'agissait d'un prétexte pour réintroduire dans Paris la garnison qui, vaincue en février, avait été éloignée de la capitale.

La prise de l'Assemblée nationale par le peuple en colère, le 15 mai, ne l'émut pas davantage. Il était trop absorbé à calculer les mesures idéales pour un logement qui serait construit par éléments dans un de ces grands ateliers que la République n'allait pas tarder à ouvrir. Ambroise Lagut eut beau lui répéter que la foule cernait de nouveau les abords de l'Assemblée, manifestant en faveur de la Pologne, Hector ne voulut rien entendre. Pourquoi se battre pour la Pologne qui n'existait que dans un rêve ? La République n'avait-elle pas solennellement renoncé aux guerres de conquête ? Et comment irait-on au secours de la Pologne sans traverser la Prusse ?

Ambroise, pour lui faire entendre raison, décida de l'emmener, une fin d'après-midi, à la brasserie Andler, rue Hautefeuille. Tout près de l'École de médecine, cet établissement avait une grande clientèle de carabins. Mais on y trouvait également Proudhon et ses amis.

Hector avait, bien sûr, entendu parler de Proudhon, bien qu'en 1848 la notoriété de celui-ci ne dépassât pas le cercle de l'avant-garde politique. Ambroise apportait à l'atelier les feuilles du journal *Le Représentant* que Proudhon rédigeait dans son logement de la rue Dauphine. Mais on ne connaissait en réalité Proudhon que pour une seule phrase, qui apparaissait comme une déclaration de guerre à la société : « La propriété c'est le vol. »

Ce slogan faisait de Pierre Joseph Proudhon un monstre. Depuis huit ans que Proudhon l'avait inscrit dans son premier mémoire sur la propriété, qui n'avait été lu que par une centaine de personnes, il était devenu, pour la bourgeoisie, l'homme à abattre. D'autant plus que cet intellectuel par effraction, fils d'un garçon brasseur et d'une cuisinière, ancien ouvrier typographe, qui se targuait d'être économiste, et même philosophe, emportait l'enthousiasme des militants ouvriers les plus rouges.

Ambroise Lagut parlait toujours avec exaltation de Proudhon, cherchant à convaincre Hector qu'il ne s'agissait pas là d'un phraseur politicien, mais d'un penseur qui élaborait lentement une science de la société, avec un mécanisme précis.

Les mots « science » et « mécanisme » décidèrent Hector à suivre Ambroise à la brasserie Andler.

Cette brasserie allemande collectionnait les barbes. C'est d'abord ce qui frappa Hector lorsqu'il entra dans ce lieu enfumé et bruyant. Étudiants, artistes, c'était à qui arborerait la barbe la plus longue, la plus touffue. À la table vers laquelle Ambroise entraîna Hector, trois hommes à barbe.

Celle de Proudhon était la plus modeste. Un simple collier, bien peigné, contrastant avec ses rares cheveux blonds en désordre, qui dégageaient, très haut, un front bombé. Hector regardait « le monstre ». Non qu'il le considérât ainsi, mais la réputation diabolique de Proudhon rendait difficile de le dévisager sans a priori.

Cet homme ressemblait à un ouvrier éduqué et ses lunettes cerclées de fer lui donnaient un air un peu timide. Il parlait avec un accent franc-comtois, qui mettait bizarrement des pâtés sur les *â* et les *ô*. Accent moins fort néanmoins que celui du deuxième barbu qu'il présenta avec chaleur :

– Mon compatriote, le maître peintre Gustave Courbet.

Le contraste était grand entre le philosophe et l'artiste. Autant le premier se montrait discret, autant le second, volubile, pérorait, gesticulait. Tout le monde le connaissait, à la brasserie Andler, dont il était la vedette. Mais ce qui frappa Hector c'était l'extraordinaire beauté du visage de Courbet. Il ressemblait à un dieu assyrien. Un nez fort, des yeux noirs sombres de félin, une chevelure abondante, une barbe noire bouclée, c'était aussi un colosse, de haute stature. Tout, en lui, exprimait une santé robuste et une sûreté de soi inébranlable.

Il accueillit Hector avec effusion, lui malaxant les mains, lui frappant dans le dos, l'entraînant vers d'autres tables où il le présentait comme s'il était un vieil ami, sans savoir d'ailleurs qui il était vraiment et s'en moquant éperdument. Il raflait au passage des chopes de bière, dont il buvait une goulée, embrassait les jolies filles dans le cou, leur glissait à l'oreille une polissonnerie qui les faisait glousser, puis, toujours promenant Hector de table en table, l'agrippant par l'épaule, proclamait que l'on recevait là un as de l'équerre et du compas.

Hector n'avait jamais entendu parler de ce peintre, qui paraissait si célèbre. En réalité, pour l'heure, il n'était célèbre qu'à la brasserie Andler. Mais il s'en moquait, car il avait la certitude qu'aucun artiste ne lui arrivait à la cheville et qu'il serait le plus grand peintre de son temps, un Vélasquez du peuple. Rien de moins. Le plus extraordinaire c'est que, après bien des hésitations, l'avenir lui donnera raison.

Courbet avait son atelier au numéro 32 de la rue Hautefeuille, tout près de cette brasserie que tenait, à la mode allemande, un couple de Suisses. Il avait fait de cette taverne son chez-lui.

Chez-lui fort rustique, qui lui rappelait la ruralité des auberges de son pays franc-comtois. La longue salle pavée, aux murs peints à la chaux, n'était garnie que de tables et de bancs de bois. Des jambons suspendus au plafond, des chapelets de saucisses, des meules de fromage, donnaient à ce lieu, où la choucroute se servait généreusement, une allure pantagruélique. Et dans cette ambiance lourde des senteurs de bière et de charcuterie le colosse Gustave Courbet jouait les rabelaisiens.

Tenant toujours Hector vigoureusement par l'épaule, il le poussa vers une matrone à la taille épaisse, vêtue de noir, le gras de l'encolure accentué par une collerette de dentelle blanche.

– Madame Grégoire, vous traiterez bien mon ami l'architecte. Qui s'appelle comment, déjà ? Hector, oui, Hector de Troyes, évidemment.

Madame Grégoire, patronne du lieu, Courbet en brossera, deux ans plus tard, un chaleureux portrait.

Abasourdi, Hector revint à la table de Proudhon. Il remarqua alors que personne ne lui avait présenté le troisième barbu qui sirotait une liqueur, sérieux comme un ecclésiastique, un peu renfrogné. De tous les clients de la brasserie, c'était sans doute lui le plus célèbre. Hector avait lu avec émotion ses *Scènes de la vie de bohème* publiées en feuilleton, avec un si grand succès, dans *La Revue des Deux Mondes*. Henri Murger, égaré dans on ne sait quelle rêverie, ne pipa mot de toute la soirée.

Jamais Hector n'aurait pensé que Gustave Courbet jouerait un rôle dans sa vie et qu'à partir de ce jour sa destinée et celle de ce peintre, dont il n'avait alors vu aucune œuvre, seraient étroitement liées.

Par contre Proudhon qui, pourtant, ne la ramenait pas, le conquit immédiatement. Il perçut que, comme lui, cet homme était mû par un système. Et il se promit d'aller lui rendre visite rue Dauphine, où l'ambiance serait sans doute plus propice à la conversation.

En juin, Proudhon fut élu député, tout comme Adolphe Thiers et le prince Louis Napoléon Bonaparte. La deuxième République se concrétisait.

Très bizarrement.

Elle plantait dans toutes les villes, dans tous les quartiers, des arbres de la liberté bénis par le curé de la paroisse, occasions de chants patriotiques et de discours verbeux. Proudhon devenu député, Hector ressentit la désagréable impression que le théoricien socialiste, en s'institutionnalisant, s'éloignait.

Le jeudi 22 juin, dans le petit atelier de la montagne Sainte-Geneviève où Hector et Ambroise dessinaient un projet de « débarcadère » pour une nouvelle ligne de chemin de fer, une sorte de long murmure qui s'amplifiait, comme un grondement d'une foule en marche, les jeta dans la rue. Il était six heures du soir. Des milliers d'hommes de tous âges, les uns vêtus de la blouse traditionnelle de l'ouvrier, d'autres en haillons, débouchaient de la place du Panthéon et descendaient la rue Saint-Jacques. Les deux architectes enfilèrent rapidement leurs jaquettes et les suivirent jusqu'au faubourg Saint-Antoine.

Cette foule murmurante ne poussait aucun cri, ne lançait aucun slogan. Elle marchait lentement, mue par on ne sait quelle impulsion, très lente et triste. Elle alla se masser, instinctivement, dans ce faubourg Saint-Antoine où, depuis la prise de la Bastille, une soixantaine d'années plus tôt, se fomentaient toutes les révoltes.

Pas de chants, pas de clameurs, pas de drapeaux. Sinon un jupon de femme, noir, brandi au bout d'une fourche, avec cette inscription en grosses lettres, sur un carton : « Guerre aux riches ».

Ambroise, qui avait la parole et le contact faciles, s'enquit des raisons de cette manifestation. On lui répondit que, la veille, un arrêté avait ordonné la dispersion des ouvriers des Ateliers nationaux dans les départements, qu'ils y seraient employés à des travaux de voirie et que les plus jeunes chômeurs, entre dix-huit et vingt-cinq ans, devraient s'enrôler dans l'armée.

– Ils ont peur des ouvriers, dit Ambroise. Alors, pour s'en débarrasser, ils les enrôlent ou les expulsent.

– Mais pourquoi ne pas les employer à des travaux

utiles ? protesta Hector. Pour poser les rails des lignes de chemin de fer, on manque de main-d'œuvre.

– Tu sais bien que Monsieur Thiers affirme que le chemin de fer n'est qu'un simple jouet pour grands enfants, qui n'a aucun avenir ; que Monsieur Arago soutient que les locomotives exploseront dans les tunnels...

– Le chemin de fer fera le monde plus petit et donc plus fraternel. En rapprochant les peuples, il contribuera à mieux répartir les richesses et amènera la paix universelle.

Hector et Ambroise retournèrent au quartier Latin, moroses.

À huit heures du soir, ils furent de nouveau tirés de leur atelier par le piétinement de la foule qui revenait place du Panthéon. Maintenant agitée. Certains chantaient *La Carmagnole.* D'autres criaient : « À bas Lamartine ! »

« À bas Lamartine ! » Quoi, le demi-dieu de Février déjà rejeté ? Et pourquoi ?

Le lendemain matin, Ambroise Lagut dit à Hector qu'il savait où trouver un fusil, que l'on construisait partout des barricades et qu'il ne resterait pas les bras croisés. Puisque le peuple voulait se battre, il se battrait avec lui.

La première impulsion d'Hector fut d'aller au plus

vite trouver Bathild le bourrelier et lui demander conseil. Que ferait-il ? Que fallait-il faire ?

Mais, dans le faubourg Poissonnière, toutes les échoppes, toutes les boutiques, étaient fermées. Cet abandon d'un quartier aussi populeux et animé avait quelque chose de lugubre et d'inquiétant.

Remontant les Boulevards vers la Madeleine, Hector vit qu'un grand nombre d'omnibus barraient les rues et que l'on dépavait les chaussées. Il rebroussa chemin pour se rendre du côté de l'Hôtel de Ville. Mais il dut se ranger précipitamment contre un immeuble pour laisser passer une colonne d'infanterie qui avançait au pas de course, suivie par deux canons tirés par des chevaux.

Une fusillade venait d'éclater près de la porte Saint-Denis. Des blessés refluaient dans les rues adjacentes. Comme Hector arrivait à proximité d'une barricade, il aperçut avec stupeur une femme qui escaladait le barrage. À son sommet, elle se dressa face aux soldats en relevant sa robe jusqu'à la taille. Hurla :

– Bâtards merdeux, oserez-vous tirer sur un ventre de femme !

Elle était là, dévêtue, obscène, se tortillant le ventre nu pour mieux narguer les gardes nationaux qui hésitaient. Puis les fusils crépitèrent et la femme s'écroula derrière le parapet.

Hector s'enfuit à travers les petites rues qui descendent vers la Seine. Arrêté par une ébauche de barricade, il eut la surprise de voir le paisible Proudhon qui portait des pavés et les alignait consciencieusement comme s'il s'agissait d'un jeu de construction.

– Ambroise est parti se battre. Je vais rester avec vous. Vous me trouverez bien une arme.

– Vous arrivez trop tard, dit Proudhon. Je m'en retourne chez moi. Le gâchis va devenir inextricable. C'est une cohue d'avocats et d'écrivains tous plus ignorants les uns que les autres qui se disputeront le pouvoir. Je n'ai rien à faire là-dedans. Tout à l'heure, François Arago a voulu parlementer avec les insurgés. Ils lui ont répondu : « Mais, monsieur Arago, pourquoi nous faire des reproches ? Vous ne savez pas ce que c'est que la misère, vous n'avez jamais eu faim. » Abolisseur de l'esclavage dans les colonies françaises, Arago a oublié qu'ici aussi il existe des esclaves. Voilà ce que c'est que de passer sa vie à observer les astres. On observe la Lune, mais on ne s'aperçoit pas que la planète, sur laquelle nous sommes condamnés à vivre, a de bien gros problèmes.

Arago, physicien génial, pensait Hector, et qui a la vue aussi basse que cet imbécile de Thiers lorsqu'il s'agit du chemin de fer. Mais il ne dit rien, craignant de finir par se ridiculiser avec son obsession du rail. Il savait que Proudhon le comprendrait, mais il y avait d'autres urgences. Et d'abord cette insurrection...

– Les insurgés sont perdus, bougonna Proudhon.

Ils ont improvisé une révolution sans une idée. Et l'idée, le système, doit précéder la révolution.

Il ne dit pas « *mon* système », mais il le pensait. Peut-être se sentait-il un peu vexé que le peuple se soit passé de son « système ». Il ajouta :

– La première révolution à faire est la révolution-capacité. Que les hommes se transforment, avant de prétendre transformer le monde ! Non, mon ami, les bourgeois seront vainqueurs et ils seront féroces comme des tigres. La République n'a pas voulu emporter la propriété, la propriété emportera la République. Oui, je m'en vais. J'ai posé quelques pavés et ce sera tout.

Hector, déçu, bifurqua du côté de l'Assemblée nationale. Sur quelques murs, il remarqua que des chansons de poètes ouvriers avaient été placardées et cela lui fit encore ressentir plus amèrement l'absence de Bathild. Bien sûr, de barricade en barricade, c'est Bathild qu'il cherchait. Sans doute agissait-il plutôt dans les quartiers de l'Est où la population ouvrière avait l'habitude de se battre contre tous les pouvoirs depuis 1830. D'ailleurs, la proximité de l'Assemblée nationale était d'un accès impossible. Le palais, entouré de régiments en armes, ressemblait au quartier général d'une place de guerre et des canons étaient braqués dans toutes les avenues qui y conduisaient. Des tambours et des clairons sonnaient la générale.

Une bande d'émeutiers, glissée néanmoins jusque

dans la rue de Lille, fut dispersée par une charge de cavalerie.

Devant le porche d'une maison cossue, des bourgeois paraissant au spectacle disaient que le général Cavaignac, qui avait fait ses preuves en Algérie, dirigeait les opérations et qu'il saurait bien mater les ouvriers comme il avait maté les Arabes.

Ah ! si Hector pouvait seulement trouver Bathild, ou même Ambroise ! Il rebroussa chemin, en direction de la place du Château-d'Eau. Mais les insurgés avaient progressé vers le centre de la capitale et, entre le pont des Arts et le Pont-Neuf, les canonniers des troupes de ligne tentaient de les contenir par des salves de tirs.

De plus en plus anxieux, Hector parvint jusqu'à une grande barricade, rue Rambuteau. Des émeutiers, qui avaient envahi les maisons, tiraient sur la troupe par les fenêtres. Pour donner le change, ils avaient placé devant certaines ouvertures des mannequins bourrés de paille, vêtus de blouses et coiffés de casquettes. Quelques-uns brûlaient, comme des torches.

Les barricades se succédaient sans interruption jusqu'à la Bastille. L'infanterie devait les enlever une à une, avec d'horribles pertes. Les insurgés n'avaient pas de canon, pas de cavalerie, et se battaient, disaient les officiers (qui, pour la plupart, avaient fait la campagne d'Algérie), aussi bien que les Maures.

Jusqu'au lundi, alors que les dernières barricades s'effondraient dans l'ultime réduit du faubourg Saint-Antoine, Hector erra de rue en rue. Son visage noirci par la poudre, ses vêtements défraîchis, le rendirent vite suspect aux gardes mobiles qui l'auraient volontiers flanqué au mur et fusillé, si un officier des troupes de ligne ne s'était interposé après avoir inspecté ses mains.

Les très jeunes mobiles protestèrent :

– C'est pas parce qu'il est un bourgeois qu'il n'est pas un brigand !

Et ils le rudoyèrent.

L'officier les chassa à coups de plat de sabre.

– Le lieu ne convient guère à la promenade. Rentrez chez vous. Vous avez vu, ces jeunes mobiles, si zélés. Pourtant, ce sont des fils d'ouvriers. Nous les tenions à l'œil, craignant qu'ils mettent la crosse en l'air, et ils ont été les plus farouches, comme s'ils voulaient, en tuant ceux de leur classe, s'en décrasser. Ils nous ont drôlement facilité le travail. D'autant plus qu'ils les connaissent comme leur poche, ces quartiers populaires. En Algérie aussi, les Berbères que nous enrôlons sont nos meilleurs chasseurs d'Arabes. Maintenant, ici, l'armée va pouvoir compter sur les jeunes chômeurs dont nous avons fait des soldats.

Des cavaliers arrivèrent au galop, tenant par la bride un cheval non monté qu'ils offrirent à l'officier.

Il sauta en selle, saluant Hector :

– C'est mon troisième cheval aujourd'hui. Les deux autres ont été tués sous moi.

Hector, déconcerté, rentra à l'atelier. Il y trouva Ambroise, les vêtements en lambeaux, le visage écorché, qui se lavait à grande eau.

Exténué, s'étant battu pendant trois jours, il n'avait échappé à la mort ou à l'arrestation que par cette invraisemblable chance qui le poursuivra si longtemps.

– Ah ! ton chemin de fer, ton chemin de fer, s'exclama-t-il, tu sais que c'est lui qui a vaincu l'insurrection !

– Comment ? Au contraire, je crois...

– Eh bien, au moins, il y a quelqu'un qui a cru dans le chemin de fer autant que toi. C'est Cavaignac. Il a donné l'ordre de faire arriver de la province, sur Paris, par wagons et par wagons, des régiments entiers. Nous aurions gagné s'ils n'étaient venus de tous les coins de France. La province contre Paris, quelle trouvaille ! Ah ! oui, tu as raison, le chemin de fer rapproche les hommes. Il les rapproche si bien qu'il les écrase.

2.

DANS les années qui suivirent la catastrophe de juin, Hector et Ambroise se détachèrent quelque peu des événements politiques par un travail immense, tout à fait disproportionné avec leur modeste installation : répondre au concours lancé par le gouvernement anglais pour la première Exposition universelle qui devait se tenir à Londres en 1851. Il s'agissait de concevoir un bâtiment gigantesque, tel que l'on n'en avait jamais vu et qui permettrait d'abriter les innombrables produits nouveaux du commerce et de l'industrie.

D'emblée, Hector imagina qu'il leur faudrait mettre au point une sorte de jeu de construction, facile à monter : de grands cadres métalliques, tous semblables, jointés les uns aux autres par des systèmes de crampons. Cette structure pourrait donc être fabriquée en usine, tout comme les panneaux de verre qui viendraient s'y emboîter. D'où méticulosité dans le façonnage et rapidité dans le montage.

Les deux associés se livraient avec exaltation au dessin des plans, nécessitant évidemment une extrême précision. Dans leur minuscule atelier, jonché de feuilles à la dimension des panneaux réels, tous les murs et le plafond se recouvraient de plans. Ce travail obsédant, le délai très court qui leur était imparti, leur avaient permis de surmonter le drame de l'insurrection avortée et de la terrible répression qui s'ensuivit.

Hector, qui n'arrivait pas à oublier ce bourrelier qui lui avait sauvé la vie et qui, certainement, avait dû participer aux barricades, le rechercha parmi les cadavres alignés dans les rues, parmi les blessés entassés dans les cours des couvents. Ambroise sut que les insurgés prisonniers avaient été enfermés dans un souterrain des Tuileries, jadis construit pour le passage direct de la duchesse de Berry. Ils tentèrent de s'en approcher. Les sentinelles leur montrèrent de loin des lucarnes grillagées où, leur dirent-elles, de temps en temps le visage d'un « brigand » apparaissait. Et ils ajoutèrent en ricanant : « On les guette et on leur tire dessus. »

Impossible d'en savoir plus. Sinon que le général Cavaignac faisait déporter dix mille prisonniers en Algérie. Toujours l'Algérie ! Les militaires qui en revenaient cassaient la révolte et les révoltés iraient s'y régénérer en dressant de l'Arabe.

Bathild, disparu, comme était disparu le formidable espoir de 1848, disparu dans cette élection du

10 décembre qui avait porté à la présidence de la deuxième République le prince Louis Napoléon Bonaparte. Disparu comme étaient disparus les joyeux convives de la brasserie Andler. Sonné par les massacres de Juin, le peintre Gustave Courbet, retourné dans son village d'Ornans, avait transformé le grenier paternel en atelier. Quant à Proudhon, pour avoir offensé le nouveau « monarque » en écrivant : « Bonaparte, élu de la réaction, instrument de la réaction, personnification de la réaction », il avait été prudemment mis de côté, en prison pour trois ans.

Hector accompagna Ambroise lorsque celui-ci rendit visite à Proudhon à la Conciergerie. Ils le trouvèrent en bonne santé, et ma foi de bonne humeur, seulement le visage un peu bouffi par l'inaction. La chambre, pavée en pierre, était propre. Le philosophe disposait d'une table, avec une écritoire, et de quelques chaises paillées sur lesquelles il invita ses visiteurs à s'asseoir. D'ailleurs, ils s'aperçurent vite que leur ami ne manquait pas de visites. On lui apportait des fleurs, des raisins. Proudhon continuait, en prison, à rédiger ses articles pour *Le Peuple*. Le prince-président avait des égards pour son adversaire dont, imprudemment, il s'était dit jadis le disciple, du temps où il écrivait, lui aussi en prison : *L'Extinction du paupérisme*.

Au cachot, comme à la ville, Proudhon s'habillait en ouvrier : un sarrau de charretier, bleu, boutonné sur l'épaule, un pantalon de drap, des sabots. Ce qui pouvait paraître quelque peu ostentatoire. Mais il leur annonça qu'il venait d'épouser une ouvrière en passementerie, ce qui indiquait, par contre, une mise en conformité, non seulement avec son costume, mais avec ses idées.

– Cavaignac et Louis Napoléon sont pires que Louis-Philippe, leur dit-il. L'un et l'autre aspirent à la dictature. Cavaignac n'est qu'un fantôme de la République, qui se dresse contre Louis Bonaparte, fantôme de Napoléon. Tout le monde s'y trompera. On a compris que Cavaignac est un républicain antisocialiste et l'on croit Bonaparte socialiste antirépublicain. Moi-même, lors du succès de Bonaparte au vote de décembre, j'ai pensé que le suffrage universel, qui l'avait préféré à Cavaignac, le condamnait à achever la révolution de 1848. Maintenant je sais que le peuple s'est offert une fantaisie princière.

Hector revint de la Conciergerie perplexe, alors qu'Ambroise ne cachait pas sa satisfaction :

– Que Proudhon en veuille à celui qui l'enferme, rien de plus normal. Mais as-tu remarqué combien sa prison est douce ? Rien de comparable au souterrain des Tuileries où ton pauvre bourrelier a peut-être succombé aux sévices. D'ailleurs Louis Napoléon a tenu à rencontrer Proudhon avant de se présenter à la présidence de la République. C'est dire le prestige intellectuel et politique de notre ami. Il m'avait alors avoué qu'il trouvait le prétendant chevaleresque et bien intentionné. Te souviens-tu que, député, Louis Napoléon siégeait sur les bancs supérieurs de la gauche ? Je te le dis, moi, que Bonaparte est notre homme. Il est imprégné de la pensée saint-simonienne. Comme nous, il croit dans la vertu de la technique. Il croit dans l'avenir des chemins de fer, de l'industrie. Tu verras qu'il applaudira à notre projet pour l'Exposition universelle.

Ce qu'Hector et Ambroise imaginaient pour l'Exposition universelle de 1851 n'était que la continuation, l'amplification, l'apothéose de tous leurs travaux antérieurs. Le Crystal Palace, qu'ils voyaient peu à peu se dessiner sous leurs doigts, prenait sa source dans leurs chalets aux fleurs, se référait aussi aux grandes serres du Jardin des Plantes que Rohault de Fleury avait édifiées dix-huit ans plus tôt et qu'Hector admirait tant lorsqu'il était étudiant, et surtout à ces passages couverts qui se multipliaient dans les nouveaux quartiers des Porcherons et de la Grange-Batelière. Hector considérait comme une merveille le passage des Panoramas, boulevard Montmartre, avec ses deux vastes rotondes qui montraient des vues panoramiques de Paris. Ses cafés, ses restaurants, ses magasins de mode, ses marchands de musique, ses antiquaires, attiraient les élégantes aux robes froufroutantes et les messieurs à gibus et aux jaquettes cintrées. Le passage des Panoramas était une rue, débarrassée de l'encombrement et des dangers des attelages, des chevaux et des fardiers, et c'était une rue couverte. Le soir, ô splendeur ! cette rue restait animée, grâce à l'éclairage au gaz.

Les passages couverts se multipliaient depuis cinquante ans. Devant les gares des voitures de messageries, on admirait le passage Vérot-Dodat pour ses glaces, ses marbres. Brady, de Gravilliers, Verdeau, Jouffroy, Colbert, une centaine de passages couverts s'étaient construits du temps de Louis-Philippe. Une centaine, et dans un même quartier, qui formaient donc un maillage de circulation privilégiée.

Réunir tous ces passages entre eux, par d'autres voies couvertes, voilà ce dont rêvait Hector. Du fer et du verre, donnant à la fois lumière et confort. Plutôt que de multiplier les serres dans le Jardin des Plantes, n'avait-il pas proposé de recouvrir le jardin lui-même, tout entier, d'un toit de verre ? On en avait beaucoup ri et la caricature s'en était mêlée qui représenta Hector dans une serre à concombres.

Ces « excentricités », si elles exerçaient la verve des étudiants de l'École des beaux-arts, dont Hector devenait un peu la tête de Turc, ne lui valaient aucune réputation dans le milieu verrouillé des architectes officiels et des commanditaires. Aussi les deux associés voulaient-ils frapper un grand coup en participant au concours international pour le palais des Industries à la future Exposition universelle de Londres. Il leur semblait que ce projet était fait pour eux, qu'il répondait exactement à leurs aspirations et aux techniques qu'ils avaient mises au point. Sans l'apport financier des parents d'Ambroise, ils n'auraient pu néanmoins mener à bien un travail aussi démesuré. Les plans se multipliant, ils durent louer un grand local, embaucher des aides. Mais ils le voyaient, leur Crystal Palace, étincelant des mille reflets de ses glaces, symbole du monde nouveau que la révolution de Février avait découvert, un monde transparent comme la liberté elle-même.

Et Courbet revint d'Ornans en fanfare !

Jusqu'alors, il avait surtout peint des portraits, des figures isolées et de petites dimensions. Le drame de juin 48, sa retraite à Ornans, précipitèrent son style. À la brasserie Andler, lorsque Hector et Ambroise le rencontrèrent, il était sûr de lui, mais il se cherchait. Au Salon du 30 décembre 1850, il apparut clairement qu'il s'était trouvé. Il y exposait deux paysages, quatre portraits et trois vastes compositions qui ne ressemblaient à rien de ce qu'imaginaient les autres artistes.

Le jour du vernissage, Hector et Ambroise étaient là, médusés, émerveillés. Courbet ne les ayant pas reconnus, dans la foule qui se pressait devant les toiles et qui s'esclaffait devant les siennes, se poussant du coude, ricanant, Ambroise se présenta, présenta Hector, se référa à son amitié avec Proudhon.

– Ah ! Proudhon, dit Courbet avec emphase, il a déclaré devant cette œuvre (il montra *Les Casseurs de pierres*) : « C'est la première peinture socialiste. »

« Socialiste », pourquoi pas, le mot devenait déjà un peu trop à la mode ; « prolétarienne » eût mieux convenu, mais c'est une expression que l'on n'entendait guère.

Les Casseurs de pierres représentait deux cantonniers déguenillés. Le plus jeune soulevait un panier de cailloux, le plus vieux frappait avec sa masse pour casser une roche.

– C'est du vécu, du pris sur le vif, dit Courbet. Je les ai aperçus par hasard près d'Ornans. Sans le vouloir, mais simplement en faisant ce que j'ai vu, j'ai soulevé ce qu'on appelle la question sociale.

Cette fatuité, cette perpétuelle autosatisfaction, proclamée sur un ton sans réplique, étaient, chez Courbet, à la fois désagréables et exaspérantes.

Près du peintre, une jeune femme plissait les yeux, un peu ironique, superbe créature à la flamboyante chevelure rousse qui débordait d'un minuscule chapeau de velours noir. Ses formes plantureuses évoquaient, avec une certaine agressivité sensuelle, un nu de Courbet. Un nu que la superposition de la robe et des jupons, que les petites bottines à lacets, que les mains gantées de dentelles, suggéraient sans pudeur.

– Quel beau Courbet ! s'écria Ambroise.

La belle fit la moue, mais le peintre renchérit :

– Julie ! Ah, Julie ! Quel morceau de fille, hein ! Je l'ai ramassée dans le ruisseau.

– Les ruisseaux d'Ornans vous gâtent, reprit Ambroise. Une telle naïade !

– Mais non, pas à Ornans. À Paris... dans un ruisseau de la plaine Monceau.

Julie frappa le sol de ses talons, comme un cheval qui piaffe.

– En colère, elle est encore plus merveilleuse. C'est une lionne. Que j'ai domptée.

– C'est votre ami, ce goujat ? demanda Julie.

Le mouvement, dans la foule du vernissage, les sépara. On se précipitait devant les tableaux de Courbet. *Les Paysans de Flagey revenant de la foire* amusait tout spécialement les amateurs. On riait du cochon que le campagnard, au premier plan, tient au bout d'une corde. Un cochon, dans une peinture exposée au Salon, quelle drôlerie et quelle provocation ! On se poussait du coude, en montrant du doigt le cavalier vêtu d'une blouse bleue, coiffé d'un gibus et tenant un fouet. Avait-on vu, en peinture, pareil cavalier ? Les cavaliers des Salons portaient des cuirasses et brandissaient des sabres.

– Le plus drôle, c'est le guignol à la blouse bleue, s'écriait-on.

Et Courbet de répliquer, d'une voix tonitruante, faisant des moulinets avec ses bras :

– Ce guignol, c'est mon père. Et aucun d'entre vous n'est plus beau, n'est plus digne que lui.

La foule, étonnée de cette repartie et sans doute un peu peureuse devant l'aspect physique de lutteur de foire du peintre, s'éloigna et alla se masser devant la troisième grande composition de Courbet intitulée : *Tableau de figures humaines, historique d'un enterrement à Ornans.*

Hector, lui, ne bougeait pas, ne disait rien, comme paralysé. Il regardait Julie. Il la regardait comme si elle était descendue d'une peinture. Comme si elle était irréelle. Comme si elle allait disparaître. Il ne voyait plus qu'elle. Elle occupait tout l'espace immense du Salon des beaux-arts, éliminant du même coup ces nudités savonnées qui s'étalaient sur les murs. À l'exception de la peau de son visage, son corps était enveloppé des pieds aux doigts. Et pourtant, pour Hector elle apparaissait nue, complètement nue, ruisselante, comme si elle sortait d'une rivière. Impression à la fois stupéfiante et douloureuse. Il avança la main pour toucher ce corps étrange, trop beau pour être vrai. Julie, surprise, le dévisagea. Et, devant la mine ahurie d'Hector, moqueuse :

– Oui-da ! Moi, c'est du vrai.

Elle pirouetta sur ses petits talons et partit très vite rejoindre Courbet qui gesticulait au milieu des curieux examinant, bouches bées, les cinquante personnages, grandeur nature, de *L'Enterrement à Ornans.*

Qu'il y eût autant de personnages n'étonnait pas.

Les tableaux d'histoire en comptaient parfois plus. Ni la dimension de la toile : plus de trois mètres sur presque sept. Mais ces grandes compositions relataient toujours des faits historiques, des drames mythologiques, des scènes pieuses. Or, on voyait là des bonnes femmes en coiffes blanches, vêtues de noir, un fossoyeur, un curé, des individus quelconques et même pas de cadavre. Des scènes de la vie quotidienne, des villageois, ne constituaient pas une nouveauté en peinture. Les peintres flamands avaient excellé dans le genre. Mais ces tableaux étaient en général plus petits. Seuls les héros et les dieux pouvaient être portraiturés grandeur nature. Si l'on peut parler de portraits et de grandeur nature à propos des dieux ! Mais telles sont les conventions qu'elles semblent naturelles. Alors que Courbet qui, lui, justement, représentait des personnages au naturel, dans leurs dimensions exactes, dans leur vie coutumière, paraissait extravagant. Il faut dire que *L'Enterrement* montrait une bizarre composition en forme de frise, qui ajoutait à l'étrangeté du sujet. Les cinquante personnages peints alignés les uns à côté des autres regardaient les visiteurs qui les regardaient. Visiteurs surpris et choqués d'être regardés. Ce tableau trichait avec les conventions des beaux-arts.

Hector suivait Julie qui, visiblement, s'ennuyait. Il s'enhardit à lui demander :

– Courbet a-t-il fait un tableau de vous ?

– Pourquoi, vous êtes acheteur ? Ne soyez pas vexant, mon cher, le modèle vaut bien la peinture.

À partir de ce jour, le Crystal Palace eut, pour Hector, beaucoup moins d'attrait. Ambroise remarquait avec étonnement que son associé rêvassait et qu'il montrait moins d'entrain à exécuter des dessins en grandeur. Pourtant, le temps pressait. Il allait falloir envoyer bientôt le matériel à Londres. En réalité, si la belle rousse venait sans cesse se refléter dans la maquette du Crystal Palace, si Hector pensait sans cesse à elle et se demandait comment il pourrait la revoir, le travail fastidieux des plans cotés ne l'excitait plus. Le Crystal Palace, il l'avait projeté dans la réalité des esquisses. Maintenant, cette lente exécution des détails le déprimait. C'était trop long. L'inspiration s'éteignait dans ces calculs trop élaborés. Sans la patience et la ténacité d'Ambroise il eût abandonné. Il avait l'impression de perdre son temps, enfermé dans cet atelier, alors que Julie se promenait peut-être – sans doute – sur l'ancien boulevard de Gand, où les élégants oisifs la reluquaient.

Trois cent trente-sept architectes, de dix-sept nations, concouraient pour ce palais de la première Exposition universelle. La plupart des projets conçus en pierre furent éliminés dès le premier tour de scrutin. Les délais impartis étaient trop courts pour qu'un tel édifice, le plus vaste qui eût jamais été envisagé, plus spacieux que les plus grandes cathédrales, pût être réalisé d'une manière traditionnelle en neuf mois.

Hector et Ambroise offraient une solution inédite, audacieuse, tout à fait révolutionnaire. Construire une énorme boîte avec seulement deux éléments de base : des poteaux et un châssis. Trois mille trois cents piliers de fer, deux mille deux cent vingt-quatre poutrelles, trois cent mille carreaux de verre, deux cent cinq mille cadres de bois pour la pose des vitres. Ces éléments standards, qui constituaient le premier exemple de préfabrication rationnelle, pourraient couvrir soixante-dix mille mètres carrés et être démontés après l'Exposition.

La proposition, bien que téméraire, retint néanmoins l'attention du jury qui lui décerna le premier prix. Du jour au lendemain, Hector et Ambroise devinrent célèbres. Mais leur célébrité ne résista pas à l'échec qui suivit. La reine Victoria refusa en effet d'entériner la nomination des deux Français, exigeant qu'un architecte anglais fût choisi pour cette Exposition qui devait démontrer à tout l'univers la suprématie de la Grande-Bretagne. On désigna donc un architecte anglais, qui ne fit que reprendre le système mis au point par Hector et Ambroise, et ceux-ci reçurent une médaille d'or en guise de compensation.

Ambroise, indigné, protesta auprès du prince-président qui n'avait aucune envie de se brouiller avec la cour d'un si puissant Empire. Mais cet échec leur ramena Courbet qui, vilipendé au Salon, se souvint de ces deux architectes, comme lui injustement repoussés. Du coup, lui paraissant intéressants, il n'eut de cesse de les retrouver. Et c'est ainsi qu'Hector put, de nouveau, contempler Julie.

Si Ambroise ne décolérait pas de leur fiasco qui, outre l'amertume de l'arbitraire, se soldait par une reconnaissance de dettes envers sa famille, Hector n'y pensait plus. Puisqu'un concours s'ouvrait pour les Halles de Paris, ce nouveau projet l'absorbait. Il convainquit assez rapidement Ambroise de se lancer dans l'aventure. Rien ne s'adaptait mieux aux fonctions d'un grand marché que leur système d'architecture industrialisable, facile à monter et à démonter.

Courbet invita les deux architectes dans son atelier. Julie s'y tenait assise sur un pouf. Elle ne se leva pas pour les saluer, s'amusant à souffler sur les plumes d'un petit perroquet perché sur son bras gauche. Courbet, toujours aussi volubile, leur énuméra toutes les injures qu'il recevait depuis le dernier Salon :

– Ils disent que j'encanaille l'art, que j'exprime « l'affreux dégoût de l'ignoble ». En réalité, ils ont peur de cette canaille qu'ils m'accusent de peindre. Moi, je peins le peuple, tel qu'il est, dans sa vie quotidienne, le peuple sérieux, travailleur, aimant la nature. Et eux ne voient que la canaille. Pour eux, le peuple c'est la canaille. La peur des rouges, la trouille, leur grande trouille de Juin, ils en ont encore des coliques. Dès qu'ils voient le peuple vrai sur mes tableaux, ils chient dans leur culotte. Mais en même temps, en me haïssant, ils me rendent célèbre. Ingres et Delacroix peuvent aller se rhabiller.

Et puis, tout à coup, paraissant découvrir ses deux visiteurs, qu'il oubliait dans son discours, il leur expliqua qu'eux-mêmes avaient tout pour devenir célèbres. On les bafouait, comme on le bafouait, lui. De cette injustice, ils devaient tirer profit, la proclamer bien haut, s'en faire de la réclame. Il avait vu leur projet qui enfonçait tous les larbins de l'Institut.

– Vous et moi, donnons dans le neuf. On va pouvoir s'entendre.

Il cria :

– Julie, qu'est-ce que tu fous avec cette volaille ! Sers-nous à boire, bon Dieu ! J'ai, au frais, un bon vin du Jura.

Julie se leva à regret, lentement et, regardant Hector, lui demanda de venir chercher le perroquet.

En prenant l'oiseau, qui s'accrochait avec ses griffes à la manche de Julie, Hector frôla le bras de la jeune femme et en eut des frissons jusqu'à la plante des pieds. Le perroquet le fixait de ses petits yeux ronds et jacassait comme s'il grommelait des insanités.

– Ah ! ce perroquet, ce perroquet, dit Courbet.

Tiens, je verrais bien Julie étendue nue sur un drap blanc, la tête renversée en arrière avec sa flamboyante chevelure éparse, levant le bras et ce perroquet qui lui picoterait les doigts.

De surprise, Hector lâcha le perroquet qui s'envola en poussant des cris stridents.

Julie apporta le vin et les verres. On trinqua à la santé de la reine d'Angleterre.

– Les Halles en plein centre de Paris, avec toutes ces victuailles, s'écria Courbet, ces charretées de légumes, ces quartiers de viandes, cette marée, il faut imaginer un ventre, un énorme ventre.

Du plat de la main, il se frappa sur l'estomac, qu'il avait rebondi, un peu trop rebondi avec toutes ces chopes de bière qu'il avalait.

– Un ventre comme le mien. Plus gros ! Le ventre de Paris !

– Non, dit doucement Hector. Moi je pense dessiner des parapluies.

– Des parapluies ?

– Oui, de grands parapluies de fer, ouverts, gracieusement ouverts, qui protégeront des intempéries les étalages, mais qui, en même temps, offriront à la vue toutes les marchandises. Des halles à la fois couvertes et ouvertes.

– Et vous, Courbet, enchaîna Ambroise, irez sur le motif, peindre les harengères, les chevillards. Vous en aurez, des beaux rouges et des trognes aussi allumées que celles des marguilliers d'Ornans.

– Vous ne représentez que des scènes de villages, reprit Hector. Oui, les Halles seraient un beau sujet pour vous, et plus moderne. Tenez, vous devriez peindre une scène de la rue parisienne et y mettre des ouvriers. J'en ai un en tête, qui me reste des journées de Février. Il est coiffé d'une casquette à visière de cuir et il a un beau visage d'apôtre, avec une fine moustache blonde. Il s'appelle Bathild. Je ne sais ce qu'il est devenu. Ah ! ce serait bien de votre part d'immortaliser un héros anonyme de la révolution de 1848, comme Delacroix l'a fait pour celle de 1830.

– Bah ! je verrai, je verrai, bougonna Courbet. Après tout, le peuple, je n'arrête pas de le peindre. Surtout les filles du peuple, hein, Julie !

Elle répliqua :

– Comme il les peint toutes nues, qui peut savoir si le modèle vient des Barrières ou du faubourg Saint-Germain.

Il s'ensuivit une discussion entre les trois hommes pour savoir si l'anatomie des bourgeoises et celle des grisettes montraient de sensibles différences.

– Aucune, trancha Courbet, un cul est un cul.

Hector contemplait Julie qui veillait à ce que les verres de vin ne soient jamais vides. Elle avait, au coin des lèvres, un sourire narquois. La conclusion de Courbet ne convainquait pas Hector. Il se disait que Julie...

Les deux architectes travaillèrent à leur projet pour les Halles avec le même enthousiasme que pour le Crystal Palace. Et la même certitude d'être dans la vérité. Le concours de Londres ne les avait pas enrichis, bien au contraire, mais il les sortait néanmoins de l'obscurité. Ambroise, tenace, réussit à obtenir un rendez-vous du préfet de la Seine et lui présenta leurs ébauches. Le préfet se montra séduit et presque convaincu. Hector et Ambroise redoublèrent d'ardeur et dessinèrent très vite des plans cotés. Ambroise sut, comme à l'ordinaire, rendre très attrayante une esquisse des bâtiments en l'enjolivant à l'aquarelle.

Des projets soumis à l'agrément de la préfecture, celui d'Hector et d'Ambroise emporta tous les suffrages. Néanmoins Victor Baltard, directeur des travaux de Paris et du département de la Seine, fit valoir que ses titres lui donnaient la préférence pour la construction des Halles et que la réalisation de celles-ci lui revenait de droit.

Le 11 juin 1851, l'ensemble des projets déposés à la préfecture fut donc rejeté et Baltard s'octroya la commande.

Cette fois-ci, Hector fut non seulement consterné, mais indigné. La révolte l'étouffait. L'Exposition universelle de Londres, qui se tenait cette année-là, constituait le grand événement dont toute la presse parlait. On y publiait des gravures représentant le Crystal Palace. Et Hector enrageait en voyant celui-ci, celui de l'architecte anglais, réalisé exactement suivant son système. Ainsi, le premier grand bâtiment en fonte et en verre, dont il avait toujours rêvé, qu'il s'était acharné à préconiser, ne serait pas signé par lui. Quant aux Halles de Paris, cet académique de Baltard, ami des membres de l'Institut, les construirait en pierre, bien sûr !

Hector était découragé, amer, quand, un soir, à la tombée de la nuit, on frappa à l'entrée de son petit logement. Stupéfait, il aperçut Julie dans l'encadrement de la porte.

– J'en ai soupé de Courbet, dit-elle. Je me suis sauvée comme ça, sans réfléchir où aller. Puis je me suis souvenue de vous, qui avez l'air d'un garçon si sérieux. Vous allez dire que j'ai une tête de linotte. Venir la nuit, comme ça... Non, ce n'est pas ce que vous pensez. Puisque vous êtes un garçon sérieux, vous me donnerez bien l'hospitalité, pour un soir. Après, j'aurai eu le temps de me remettre les idées en place.

Une fois dans l'appartement, qui ne se composait que d'une chambre et d'une minuscule cuisine, Julie se montra surprise par cette exiguïté.

– Vous n'avez qu'un petit lit ? Ça ne fait rien, je dormirai dans ce fauteuil, si vous permettez.

Hector voulut répliquer qu'il lui offrirait volontiers le lit et qu'il se contenterait du fauteuil, mais il craignit de paraître stupide. Et puis, l'odeur de

Julie emplissait la chambre, une entêtante odeur âcre de rousse. Il dit :

– Le lit est petit, mais on y a déjà tenu à deux.

– Alors, si vous m'invitez aussi gentiment, ce serait incorrect de refuser.

Et c'est ainsi que Julie entra, non seulement dans le lit, mais dans la vie d'Hector.

Le 15 septembre, le prince-président devait inaugurer le premier pavillon des Halles réalisé par Baltard, une sorte d'informe tas de pierres, si lourd, si laid, que la presse le baptisa « le fort de la Halle ». Le prince-président, épris de modernité, ordonna sa destruction immédiate.

L'échec de Baltard redonna espoir à Hector et à Ambroise. Le prince Napoléon, furieux du mauvais tour qu'on lui avait joué, en lui demandant d'inaugurer un étron, saurait certainement apprécier leur svelte projet. Encore fallait-il pouvoir l'approcher. Ambroise se chargea de ces difficiles démarches, dans lesquelles il excellait.

Grâce à Julie, à cause de Julie, Hector prenait un peu de bon temps. Il se levait tard, car il avait toujours beaucoup de mal à se relever du corps de Julie.

Les demoiselles de compagnie, venues auparavant égayer sa chambre, n'étaient que des passereaux, charmants, mais furtifs. Leur séjour, trop rapide, ne permettait pas qu'une vraie sensualité s'installât. Julie était la sensualité même. Moins corpulente qu'elle le paraissait habillée, car elle aimait faire blouser ses vêtements, elle avait des formes généreuses, dont elle ne se montrait jamais avare. Hector n'en revenait pas de sa chance, tout en comprenant mal ce qui avait pu attirer Julie dans son lit.

– Ce sont tes yeux, disait-elle. La première fois que je t'ai aperçu, au Salon, tu me regardais avec des yeux qui lançaient de telles flammes, que j'en étais tout allumée.

Lui qui ne sortait guère, continuant à travailler le soir, ou restant seul à lire dans sa chambre, se mit à flâner sur les Boulevards, Julie à son bras, ne serait-ce que pour la montrer. La beauté provocante de Julie annihilait la timidité d'Hector. Il se voyait soudain envié. Lorsqu'ils sortaient du théâtre du Gymnase et allaient souper au Café Riche, les têtes des hommes se détournaient sur leur passage. Des hommes seulement, les femmes pinçant les lèvres ou regardant en l'air d'un air offusqué.

Les Boulevards, macadamisés pour éliminer les pavés à barricades, éclairés au gaz, devenaient le soir le rendez-vous des oisifs et des fêtards. Quelques mois plus tôt, Hector n'aurait jamais eu l'idée de s'y rendre. Mais Julie entrait si bien dans ce décor nocturne, qui semblait fait pour elle. Hector se sentait porté, transporté dans un autre monde que celui du labeur obscur qui avait été jusqu'alors le sien.

Il arrivait fréquemment que, dans les cafés chics de l'ancien boulevard de Gand, devenu boulevard des Italiens, le maître d'hôtel pose sur leur table une bouteille de champagne. Lorsque Hector demandait qui l'envoyait, le maître d'hôtel lui désignait un élégant bellâtre, près du bar, qui les saluait d'une révérence. Hector le priait sèchement de remporter le champagne.

D'autres fois, des inconnus les invitaient à leur table. Hector refusait, flatté, sachant bien que c'était Julie que l'on invitait.

À la fin, il se montra agacé, refusa d'une manière plus vive les amabilités intéressées. Il voyait Julie roucouler. Leurs soirées en public, qui l'avaient tant diverti, lui parurent ennuyeuses.

Ambroise fut stupéfait de cette liaison. S'il avait su, il eût tenté sa chance auprès de Julie. Il cherchait à comprendre comment pareil cadeau avait pu tomber dans l'escarcelle d'Hector, comment il s'y était pris pour l'attirer, pour la détacher du brillant Courbet. Hector, qui entendait ne rien cacher à son ami, avait beau lui raconter qu'elle était arrivée d'elle-même et que, finalement, si elle restait, c'est qu'elle ne devait pas se trouver si mal en sa compagnie, Ambroise s'obstinait à soupçonner Hector de lui cacher quelque stratagème et il en arrivait à se méfier de son associé dont il n'avait jamais soupçonné qu'il pût être retors.

Quant à Courbet, il ne se formalisa pas le moins du monde. Il y avait un tel flux féminin dans son atelier de la rue Hautefeuille, que l'absence de Julie ne s'y remarquait pas. Depuis le Salon de 1850, le succès, son succès auprès des collectionneurs (et des collectionneuses), allait grandissant. Il était sans doute le peintre le plus détesté de France, mais aussi le plus admiré, le plus envié.

La première fois où il revit Hector il l'embrassa, le serra contre sa poitrine de forgeron et lui dit que maintenant ils devaient se tutoyer puisque, comme on dit chez les militaires, ils avaient servi dans le même corps.

Le mandat à la présidence de la République de Louis Napoléon Bonaparte arrivant à échéance à la fin de l'année et la Constitution l'ayant déclaré non renouvelable, des rumeurs d'un possible coup d'État circulaient. Les Boulevards perdaient leur nonchalante désœuvrance. Des petits groupes les parcouraient en acclamant la république sociale et se heurtaient à des provocateurs qui criaient : « Poléon ! Poléon ! C'est Poléon qu'il nous faut ! »

Poléon (que d'autres appelaient par dérision Badinguet), on pouvait l'apercevoir tous les après-midi, vers deux heures, en berline escortée par des cuirassiers. Il passait très rapidement, se rendant au bois de Boulogne pour une brève promenade.

Courbet disait :

– C'est un perroquet endormi.

Ambroise répliquait :

– C'est un aigle qui feint de dormir.

Dans cette atmosphère tendue, où les rumeurs les plus folles se court-circuitaient, Hector ne cessait de rappeler à Courbet son désir de lui voir peindre une scène de la vie ouvrière.

Il n'avait pu le décider à aborder l'épopée du chemin de fer, à peindre des locomotives, des gares. En lui décrivant Bathild, sa silhouette, son visage décidé et grave, l'épisode du cheval emballé, du trône brûlé place de la Bastille, de leur errance dans le Paris insurgé, il finit par convaincre Courbet d'aborder le paysage urbain moderne.

– Je te ferai une *Ronde de nuit* populaire.

Quelques semaines plus tard, Courbet lui montra cette « ronde de nuit ».

Peinture urbaine, oui, bien sûr, puisqu'il s'agissait d'une équipe de pompiers courant au feu, dans une lugubre ambiance nocturne. Les lances à incendie, les casques de cuivre, ce mouvement de foule, ces fumées, tout cela rappelait à Hector la nuit sinistre, quand Bathild l'avait quitté place de l'Hôtel-de-Ville. Bathild était là, guidant les soldats du feu, ces soldats de la solidarité, les seuls militaires que peindrait Courbet. Il s'était à tel point imprégné du récit d'Hector que celui-ci demeurait stupéfait devant la vérité des traits de Bathild, que Courbet n'avait pourtant jamais vu. Ce visage osseux, au nez un peu busqué, à la fine moustache blonde, coiffé de sa casquette à visière de cuir, le col largement ouvert sous la blouse sombre.

Hector eût préféré, à ce tableau de *L'Incendie*, une scène plus typiquement ouvrière. Néanmoins Courbet lui restituait Bathild.

Le mardi 2 décembre 1851, Hector et Julie, après avoir dîné à six heures au Café Riche, se rendirent au théâtre du Gymnase. Mais la pièce n'était pas sur la scène. Les deux ou trois cents personnes qui occupaient la salle montraient une agitation extrême. On ne parlait que d'un possible, et pour beaucoup, que d'un souhaitable coup d'État du prince Napoléon.

– S'il échoue, disait un individu certainement important, mais qu'Hector ne connaissait pas, personne ne pourra reprendre le pouvoir. Légitimistes, orléanistes, tout cela est fini. Impuissants ! Après lui, seulement les rouges !

– Nous attendons le premier coup de fusil des rouges pour adhérer au coup d'État, dit un autre.

Des femmes piaillaient, pleuraient. La pièce ne fut pas jouée. Le directeur du théâtre s'avança devant le rideau baissé :

– S'il y a encore la Révolution, nous en voilà pour un mois à jouer dans le vide. Tout cela nous ruine !

Julie à son bras, qui ne disait rien, Hector sortit

sur le boulevard. Des hommes et des femmes, n'appartenant visiblement pas à la classe ouvrière, passaient en courant. On entendait des cris, des chants, des huées. Tout ce monde se volatilisait dès qu'apparaissaient les sergents de ville. Lorsqu'ils arrivèrent près de chez Courbet, ils n'eurent que le temps de se blottir dans une ruelle pour éviter la charge des gardes mobiles qui poursuivaient les étudiants de l'École de médecine et cherchaient à les assommer à coups de crosse.

Le danger écarté, Julie demanda à Hector :

– Que comptes-tu faire ?

– Il va y avoir une insurrection. Je dois rejoindre le peuple.

– Ne t'acharne pas à vouloir paraître un ouvrier, dit Julie. Ton père l'était. Mais tu ne l'es plus. Si révolté que tu sois, tu sens encore trop l'École. Passe une blouse sur tes habits et tu auras quand même l'air d'un Monsieur.

Jamais, jusqu'alors, Julie n'avait parlé politique avec Hector. Il lui semblait que cette belle fleur, certes poussée entre les pavés, comme le rappelait obligeamment Courbet, était trop heureuse d'avoir été cueillie et mise dans un vase de cristal pour exprimer quelque opinion que ce soit. Aussi la réflexion de Julie, et sa cruelle pertinence, le déconcerta.

– Me demanderais-tu d'être lâche ?

– Toi, lâche ! Mais tu es le plus courageux des mortels ! Tu fonces comme un taureau. Tu suis ton idée. Et ton idée est grande. Tu veux faire le bonheur des hommes par ton architecture. Que te faut-il de plus ?

Hector, stupéfait, réalisait tout à coup qu'il n'avait jamais causé avec Julie, sinon de futilités. Et qu'elle-même ne lui avait jamais rien dit, ni de son passé ni de ses opinions. Qu'elle puisse exprimer des opinions le surprit. Il s'accusa d'avoir sous-estimé Julie, de l'avoir considérée comme ces passereaux qui se perchaient jadis sur son lit. Il ne l'avait, non plus, jamais interrogée, par pudeur, par discrétion.

– Pourquoi ne m'as-tu jamais parlé ainsi ?

– J'ai toujours entendu Courbet affirmer qu'une belle femme ne doit pas parler. Et comme on m'a toujours seriné que je suis belle... Alors j'écoutais. J'ai beaucoup écouté. Finalement, en écoutant beaucoup, j'ai pas mal appris. Tu sais, avant d'être modèle de Courbet, je l'ai été de Monsieur Ingres. J'ai connu beaucoup d'hommes, comme tu t'en doutes, mais je ne voudrais pas te perdre, toi.

Et comme Hector, de plus en plus surpris, de plus en plus ému, ne disait rien, elle reprit :

– Nous irons voir demain ce que pense Ambroise de tout cela. Il a moins de génie que toi, mais il a plus de jugeote.

Ils n'eurent pas besoin de se déplacer le lendemain. Ils n'étaient pas encore levés qu'Ambroise frappait à leur porte. Toujours impeccablement vêtu, soigneusement rasé, néanmoins très agité.

– On a arrêté dans la nuit la plupart des représentants du peuple situés à gauche, mais aussi les généraux les plus droitiers : Cavaignac, Changarnier, Lamoricière, Charras... Le coup d'État est affiché dans les rues, mais les affiches n'attirent que de bien faibles attroupements. Chose bizarre, personne ne les déchire. On voit des ouvriers qui les lisent paisiblement, mains dans les poches. J'ai rencontré Proudhon...

– Proudhon n'est-il pas en prison ?

– Le 2 décembre est juste tombé le jour d'une de ses permissions de sortie. Il m'a dit avoir rencontré Victor Hugo qui s'en allait défendre une barricade. Et qu'il l'avait prévenu que Bonaparte réussirait son coup d'État. « Vous vous faites des illusions, lui a dit Proudhon. Le peuple ne bougera pas. Bonaparte passe pour socialiste. Il a pour lui la force, les canons, la candeur du peuple et les sottises de l'Assemblée. Les quelques hommes de gauche que vous êtes ne viendront pas à bout de la troupe qui lui est fidèle. Vous êtes honnêtes et il a sur vous cet avantage qu'il est un coquin. Cessez de résister, croyez-moi. Il faut attendre. En ce moment, la lutte serait folle. » Victor Hugo, reprit Ambroise, est cependant parti exhorter le peuple à se battre. Ils sont, comme lui, une centaine de représentants décidés à s'insurger. Il paraît que des barricades se dressent rue Quincampoix, rue de la Verrerie, rue Montmartre.

– Et Proudhon ? demanda Hector.

– Il a pris le parti de retourner dans sa prison.

Julie, enveloppée dans un châle, pelotonnée sur le lit, écoutait sans broncher, comme à l'accoutumée. Soudain elle sauta sur le plancher, pieds nus, et prononça ces mots qui laissèrent Ambroise ébahi :

– Donc, c'est les redingotes qui appellent les blouses. Mais les blouses, qui ont été salement abandonnées en juin, ne viendront pas. Vous ne voudriez quand même pas qu'elles aillent défendre Cavaignac. Elles répondront à Victor Hugo : « Mais, mon bon monsieur, vous nous avez laissé fusiller voilà trois ans passés... »

Ambroise fut aussi stupéfait que l'avait été Hector. Donc Julie parlait. Et pensait. Pensait juste. Il ne sut que lui demander :

– Que faisiez-vous en juin ?

– J'avais seize ans. Comme vous l'a complaisamment rabâché Courbet, j'étais dans le ruisseau de la plaine Monceau, à me laver de tout ce sang répandu.

– Que voulez-vous dire ?

– Vous ne saurez rien.

– Julie a raison, reprit Ambroise. Moi qui me suis battu en juin, je ne suis pas mécontent que les généraux qui nous ont cassé la tête soient embastillés par Bonaparte. Je te l'ai toujours dit, il est meilleur qu'eux et, finalement, plus près du peuple. Ces héros sanguinaires de la conquête de l'Algérie le dégoûtent. C'est un moderne, Bonaparte. Je te le répète, c'est notre homme. S'il en est un qui puisse comprendre notre architecture, c'est lui. D'ailleurs, j'étais bien près de l'approcher pour lui parler des Halles... Je vais dessiner à l'atelier. Rejoins-moi.

Hector regardait Julie qui peignait ses longs cheveux roux. Il ressentait une gêne, comme s'il s'était trouvé enfermé dans cette chambre avec une étrangère. Il sentait son odeur âcre, reconnaissait les ondulations de son corps qui le rendaient si désirable. En même temps, il craignait de l'entendre parler. De l'entendre parler comme tout à l'heure. Avec cette réflexion catégorique qui lui ressemblait si peu. Qui ressemblait si peu au modèle indolent de Courbet. Si peu à la compagne sensuelle et muette venue partager sa vie. Partager sa vie ou partager ses nuits ? Partager sa vie ou partager d'agréables sorties nocturnes dans les cafés à la mode où elle posait comme pour un tableau ? Julie poseuse, ironique parfois, toujours silencieuse. Et cette Julie qui parlait (il pensa : qui parlait comme un homme), il avait du mal à la faire sienne. Lissant sa longue chevelure, elle lui tournait le dos. Il avait peur qu'elle se retourne, qu'elle parle et que ce charme qui le fascinait disparaisse.

Il dit :

– Ne te retourne pas.

Et il continua :

– Je vais partir, tu le sais. J'aurais l'impression, si je restais, de trahir Bathild. Tu te souviens, cet ouvrier bourrelier que j'ai fait représenter par Courbet, guidant la compagnie des pompiers vers le feu. Je n'arrive pas à le chasser, Bathild. Il est là, qui me montre le chemin du feu. Tu me dis que je ne suis plus du peuple. Tu te trompes. J'ai pris les manières d'une autre classe, peut-être, mais si peu. Je ne suis peut-être plus du peuple, mais je l'aime...

Julie, brusquement, lui fit face. Ses yeux, aussi roux que sa chevelure, brillaient d'une lueur mauvaise, comme ceux d'un chat en colère :

– Ce peuple que tu aimes, il ne t'aime pas. Tu penses qu'il doit t'aimer, puisque tu l'aimes. Ce serait trop simple. Il n'y aurait plus de drames amoureux. Et entre lui et toi subsistera toujours, sous-jacent, ce malentendu des amours contrariées.

– Je vais te prouver le contraire en allant le rejoindre.

Julie se précipita vers Hector, le frappa sur la poitrine, de ses jolies mains fines :

– Si tu es tué, je ne te le pardonnerai jamais.

Hector s'en fut faubourg Saint-Antoine, là où se trouvait le nœud de toutes les émeutes. Le faubourg était désert. Seuls quelques passants rôdaient en longeant les maisons. Plusieurs arboraient crânement leurs écharpes tricolores de représentants du peuple.

Ils allaient visiblement à un rendez-vous. Hector leur demanda s'il pouvait les suivre. Soudain le vacarme d'un trot de chevaux et de roues grinçantes les fit se jeter sous les porches des immeubles. Des lanciers apparurent qui entouraient une voiture entièrement fermée, puis un autre groupe de lanciers et une nouvelle voiture, puis une troisième.

– Des fourgons cellulaires, murmura un des hommes. Ce sont nos collègues que l'on emmène à Vincennes.

Le convoi passé, ils reprirent leur marche.

– Nous avons revêtu nos écharpes tricolores, dit un des députés, pour que le Faubourg nous reconnaisse et que le peuple se soulève en nous voyant venir vers lui.

Bizarrement, les boutiques étaient toutes fermées et les quelques ouvriers qui se rendaient à leur travail détournaient la tête. Un seul cria :

– On ne va pas se faire trouer la peau pour leurs vingt-cinq francs !

– Ils envient nos vingt-cinq francs d'indemnité, dit le représentant qui accompagnait Hector. On leur a mis ça dans la tête, que nous sommes des privilégiés. Il fallait bien que Badinguet trouve un moyen de nous déshonorer.

En chemin, le groupe s'était épaissi. Une cinquantaine d'hommes. Dix d'entre eux appartenaient à l'Assemblée nationale. Les autres devaient être des intellectuels, des membres de professions libérales, des étudiants. Ils se heurtèrent à un poste de garde. La sentinelle poussa un cri d'alarme et des soldats accoururent, fusils braqués.

Impassible, dans sa redingote serrée, tout de noir vêtu, un homme se détacha du groupe, marcha droit vers les soldats.

– Nous sommes des représentants du peuple, leur dit-il d'une voix forte. Et nous vous demandons vos armes pour la défense de la Constitution.

Les soldats abaissèrent leurs fusils que les représentants leur arrachèrent des mains sans qu'ils s'y opposent. Il n'y avait pas assez de fusils et de cartouches pour tout le monde. Hector reçut néanmoins une arme.

Lorsqu'ils arrivèrent place de la Bastille, une grande barricade était déjà dressée. Un omnibus et une voiture de laitier renversés, des monticules de caisses, de paniers, formaient une muraille dérisoire. Derrière, il y avait quand même quelques ouvriers en blouse que les premiers arrivants avaient réussi à entraîner. Tout le monde se mit en posture de combat.

Deux compagnies de fantassins ne tardèrent pas à apparaître et s'avancèrent vers le barrage, baïonnettes en avant.

Le représentant tout de noir vêtu, qui avait par persuasion désarmé le poste de garde, monta au sommet de la barricade, leva le bras et intima au capitaine qui commandait le premier peloton de s'arrêter.

– Soldats, s'écria-t-il, nous sommes les représentants du peuple, vos représentants. Au nom de la République, nous vous demandons de vous joindre à nous pour défendre la Constitution menacée par un parjure.

Le capitaine leva son sabre et commanda le feu. L'homme en noir s'écroula, transpercé de plusieurs balles. De la barricade, une salve répondit. Les soldats qui n'avaient pas été touchés reculèrent de quelques pas. Mais le répit donné par cette défense fut de courte durée. Impossible de résister à l'assaut des fantassins qui accouraient de toutes parts. Hector tirait au créneau qui lui avait été imparti, visait juste. Près de lui, il y avait un homme en blouse, qui faisait mouche, lui aussi. Au bout d'un moment, l'homme en blouse tira Hector par le bras :

– Pas la peine d'insister, citoyen. Nous serons plus utiles vivants que morts. Je connais bien le quartier. Nous n'avons que le temps de déguerpir.

Hector se faufila parmi les décombres qui formaient des murets, enjamba des morts, des blessés qui geignaient.

– Par ici, cria l'homme en blouse. Suivez-moi. Courez vite. Vite !

Ils s'élancèrent. Les balles sifflaient, percutaient les arbres qui leur servaient de remparts.

Lorsqu'ils furent hors de portée des fusils,

l'homme en blouse dit à Hector que les barricades les plus solides se trouvaient rue Quincampoix, rue du Cloître-Saint-Merri et jusque dans le faubourg Saint-Martin.

Hector pensait à Julie qui serait bien surprise de les voir tous les deux, si complices, l'homme en blouse et l'homme à la redingote. Son fusil à la main, et quelques cartouches dans ses poches, il se sentait en paix. Et il souriait en pensant à ce qu'il raconterait à Julie, lorsqu'il reviendrait, que le peuple l'aimait puisque, cette fois encore, un homme en blouse l'avait tiré d'un mauvais pas.

Hector passa la nuit à monter la garde près de la fontaine des Innocents. Il se disait qu'il construirait là, bientôt, ces Halles transparentes et hygiéniques que la République restaurée ne lui refuserait pas.

L'heure était à l'euphorie sur les barricades du centre de Paris, que reliaient entre elles des ruelles difficiles d'accès aux troupes régulières. Il s'était finalement édifié dans ce quartier une sorte de forteresse. Par ailleurs, le secteur des Écoles s'était soulevé. Des représentants tentaient de rameuter du monde aux Batignolles et à Belleville. On avait ramassé beaucoup de fusils et les femmes s'installaient à des tables, dans les rues, pour faire de la charpie. Demain, disait-on, nous serons à l'Hôtel de Ville. Badinguet prépare ses valises.

L'homme en blouse, compagnon d'Hector, parti dans la nuit, lui avait donné rendez-vous pour le lendemain à la barricade qui, boulevard de Bonne-Nouvelle, observait les boulevards Poissonnière et Montmartre.

Hector s'y rendit sans encombre. Tout était calme. Un seul incident le bouleversa à tel point qu'il en conclut que la situation, qui paraissait gagnée, allait être perdue.

Comme il passait devant un cabaret, resté ouvert, il remarqua à l'intérieur des ouvriers qui jouaient au billard. Scène étrange, surtout en un tel moment. Et le plus étrange c'est qu'il crut y reconnaître Bathild, avec sa casquette à visière de cuir rabattue sur les yeux et sa fine moustache blonde. Il entra dans l'estaminet, alla droit sur celui qu'il prenait pour Bathild et qui le reçut fort mal en lui voyant un fusil à la main.

Tout à sa déconvenue de n'avoir pas retrouvé Bathild, il ne peut s'empêcher de dire :

– Comment, vous jouez au billard, alors que le sort de la République...

– On s'en fout, de ta République. Elle ne nous a pas donné ce qu'elle nous avait promis. Cavaignac est en prison. Bravo ! On arrose ça. Votre insurrection, ça ne nous regarde pas. Allez, décampe !

En arrivant sur les Boulevards, il trouva une tout autre ambiance que la veille. L'après-midi commençait, assombri par une pluie fine. Onze pièces de canon pointées boulevard Poissonnière s'affrontaient à la barricade de Bonne-Nouvelle, dérisoire devant cet armement. Au premier tir, les boulets fracassèrent le barrage et l'homme en blouse, qu'Hector venait juste de retrouver, s'effondra, la gorge sectionnée par un éclat d'obus. Hector voulut le tirer de là, le prenant par les épaules. Il saignait si abondamment que sa blouse ressemblait à un de ces drapeaux rouges plantés sur la barricade et que la mitraille déchiquetait.

– Tu vois bien qu'il est mort, dit un des insurgés. Ne perds pas ton temps. Il faut se replier vers le boulevard Saint-Martin.

Hector eut envie de rester, de rester près de son compagnon déjà perdu. Comme il avait perdu Bathild. Tout le monde fuyait la barricade éventrée. Il se sentit agrippé, poussé en arrière. Les canons tiraient toujours. Entre chaque coup, on entendait des charges de cavalerie, des salves de tirs, des hurlements, la dégringolade de murs.

Hector suivit les quelques survivants qui s'engouffraient dans le théâtre du Gymnase.

– Jette ton fusil, lui dit l'un d'eux. Et si tu as encore des cartouches dans tes poches, vide-les. Si on nous attrape, on nous fusille. Écoute...

On entendait au loin des rafales de tirs.

– C'est la barricade de la rue du Sentier qui est tombée, dit un autre. On y fusille nos camarades.

Hector accompagna le groupe qui monta tout en haut du théâtre, par les coulisses, jusque dans les cintres des machinistes. Ayant réussi à déverrouiller les vasistas, ils purent déboucher sur le toit. De là, la vue allait jusqu'au faubourg Montmartre.

Les troupes de ligne y arrivaient en groupes compacts et tiraient sans sommation sur tout ce qui bougeait, sur tout ce qu'elles apercevaient. Comme toujours, lorsqu'il se passe quelque chose, des curieux apparaissaient aux fenêtres. Et ces spectateurs étaient mitraillés de la rue. Les soldats visaient les fenêtres qui éclataient sous les projectiles. Des cris fusaient de tous les immeubles qui bordaient le boulevard. Les canons déchiquetaient les devantures des magasins et les commerçants qui en sortaient en courant, pour se protéger de l'incendie, étaient abattus comme du gibier. Les soldats ne s'en prenaient plus aux émeutiers, mais aux passants imprudemment attardés.

Allongés sur le toit du Gymnase, Hector et ses compagnons, qui se plaquaient étroitement aux tuiles, afin de ne pas être repérés, assistaient impuissants au massacre. Ils entendaient les sergents hurler : « Hardi sur les Bédouins ! Tapez ferme sur les Bédouins ! » Les habitudes prises en Algérie étaient si fortes qu'ils s'y croyaient encore. On leur avait dit de ne pas faire de quartier. Ils fonçaient dans le tas, aveuglés par le carnage, se voyant peut-être encore à la poursuite de la smala d'Abd el-Kader.

La nuit venue, et les bivouacs s'allumant dans le quartier du Sentier, Hector et ses compagnons se décidèrent à fuir en sautant de toit en toit, jusqu'à ce qu'ils se risquent à descendre du côté de la rue d'Hauteville qui semblait bizarrement épargnée.

Julie ne dit rien lorsqu'il rentra fourbu, les vêtements tachés de sang et déchirés, les mains noires, ces mains noires qui lui auraient valu le poteau d'exécution s'il avait été pris. Mais Hector crut voir sur le visage de Julie des traces de larmes.

Elle l'aida à se déshabiller, fit chauffer de l'eau pour lui laver ses plaies. Puis :

– Ambroise est venu. Il s'inquiétait de toi. Toutes les barricades sont enlevées et la Bourse est montée de deux francs dix.

3.

LE 7 novembre 1852, le Sénat appelait le peuple à voter pour l'Empire héréditaire. Ce qu'il fit docilement quinze jours plus tard, Louis Napoléon Bonaparte obtenant sept millions huit cent vingt-quatre oui sur huit millions cent quarante mille votants. Hector vota non. Ambroise vota oui. Ainsi commença leur désaccord.

Le 2 décembre, jour anniversaire de la victoire d'Austerlitz (mais aussi du coup d'État de l'an dernier), Louis Napoléon Bonaparte, proclamé empereur sous le nom de Napoléon III, entrait solennellement à Paris sous l'arc de triomphe de l'Étoile.

Julie et Hector fêtèrent l'événement à leur manière. En retournant là d'où ils étaient partis. Il y avait maintenant suffisamment de temps qu'ils formaient un couple, pour ne plus redouter leur passé. Bien au contraire, ce monde misérable, dont ils étaient issus, les rapprochait. Le fils du charpentier de Mouffetard et la nymphe des ruisseaux de la plaine Monceau s'étaient trouvé un terrain d'accord qui débordait celui du lit. Passé la surprise d'avoir entendu Julie parler, Hector tenait avec sa compagne des conversations qui les unissaient de plus en plus. Ils s'étonnaient eux-mêmes de se savoir si étroitement liés par leurs origines populaires. Donc, le 2 décembre, Julie s'était décidée à emmener Hector dans la boue de la plaine Monceau. Parler de ruisseaux relevait d'une allégorie poétique. Il n'y avait dans la plaine Monceau que des rigoles puantes, où se déversaient toutes les immondices. Pas de maisons. Des baraques en planches, couvertes d'un si vieux chaume que la paille en était pourrie. Dans ce cloaque, une foule de femmes édentées et d'enfants pieds nus regardaient les deux visiteurs avec hostilité. Peu d'hommes, sinon des vieillards, mais des adultes usés, décrépits, avachis.

– La plupart des hommes sont morts, dit Julie. En juin, ils ont cru qu'en allant se battre ils gagneraient le droit de manger des ailes de poulet. Les ailes, c'est ce qui peut se ronger, se sucer le plus longtemps, ce qui donne l'illusion de manger de la viande. Ils se sont fait tuer pour avoir droit aux ailes, pas aux cuisses. Ils n'en demandaient pas tant. Je le sais, mon père et mes frères en rêvaient, des ailes de poulet. Ils sont morts de ce rêve, sur je ne sais quelle barricade, et ma mère et mes sœurs ont été déportées dans des bordels en Algérie. Alors, quand tu es parti toi aussi pour te battre, alors que tu n'avais pas besoin d'ailes de poulet, tu penses si j'avais envie de te rouer de coups. Mon petit bourgeois au col blanc.

» La plaine Monceau c'était, c'est toujours, le lieu de la misère, de la débauche et du crime. C'est là que les Messieurs des beaux quartiers viennent recruter leurs filles de joie, comme ils disent. On peut s'y entre-tuer sans que jamais la police s'en mêle.

– Ma petite bourgeoise en dentelles, dit Hector, comment t'es-tu tirée de là ?

– Quand ils m'ont tué la moitié de mes parents, quand ils m'en ont arraché l'autre moitié, j'ai connu la débauche et le crime et puis, un jour, j'en ai eu assez et je suis descendue encore plus bas.

– Plus bas ?

– Oui, plus bas, dans le quartier de la Petite Pologne, où l'on pouvait trouver un grabat pour dix centimes la nuit. Je me suis acoquinée à un joueur d'orgue de Barbarie, puis à un montreur de singes. On était plus bas, à la Petite Pologne, mais c'était plus gai. Les saltimbanques sont aussi des voyous, mais ils font rire. Il venait parfois des artistes, des peintres, des musiciens, des poètes, qui ne sont que des saltimbanques visités par la chance et qui ont besoin d'inspiration parce qu'ils sont plus rouillés que les vrais saltimbanques. Ils aiment s'inspirer de la misère. Ça les excite. Et c'est comme ça qu'un jour Courbet m'a ramassée dans le ruisseau.

Dans sa robe d'organdi, rose et bleue, si rayonnante sous sa chevelure de feu, qui eût pu penser que cette jeune femme épanouie, avec sa démarche altière, au bras de cet homme en redingote noire, était sortie d'un tel bourbier ?

– La vallée Mouffetard est toute proche de notre logis, dit Hector. Nous n'y descendons jamais. Je n'avais pas envie de me retrouver dans ces lieux pestilentiels où j'ai vécu mon enfance. Mais à côté de ce que tu as vécu, ce n'est rien. C'est un habitat de pauvres, pas un refuge de gueux. Dans la charpenterie de mon père, ce petit garçon craintif qui n'aimait que les livres et que passionnaient l'équerre et le compas des tâcherons, si tu étais passée par là et l'avais vu, je crains bien que tu ne lui eusses jeté des pierres. Un fils de riche, aurais-tu pensé. Et pourtant...

Ils firent une grande promenade, passant au bas de la butte Montmartre. Lorsqu'ils arrivèrent place Pigalle, un troupeau de bœufs qui, comme chaque soir, venait de Poissy et se dirigeait vers l'abattoir de Popincourt, s'était arrêté et se vautrait dans le bassin, malgré les coups de bâton de leurs convoyeurs énervés d'avoir marché si longtemps et de ne pas être encore au bout de leur peine.

La traversée de Paris par des troupeaux n'étonnait personne. Tous les véhicules n'étaient-ils pas tractés par des chevaux, des mulets, des ânes ? Les rues sentaient le crottin. Des porcs circulaient en liberté dans les quartiers à taudis où ils se chargeaient de nettoyer les ordures.

Hector aimait ces longues marches à pied où il observait la ville, où il cherchait des remèdes aux nombreuses imperfections de la cité. Tout était possible, maintenant, avec les prouesses de l'industrie, avec ces portées immenses permises par les poutres de métal. Et cet emploi du verre, en quantité illimitée, comme il l'avait prouvé pour le Crystal Palace. Ce matériau translucide, jadis réservé aux vitraux des églises et aux fenêtres des palais, allait être utilisé pour la commodité de tous. Depuis que, dans la fabrication du verre, le sulfate de soude, moins cher, remplaçait le carbonate, le prix de la glace épaisse avait diminué de moitié en vingt ans. Avec l'abaissement des prix, l'emploi des dalles en verre coulé ne posait plus de problème.

Il racontait à Julie que, dans l'avenir, il n'y aurait plus de plaine Monceau, ni de Petite Pologne, que l'on construirait des Versailles pour le peuple. Des plans de maisons collectives existaient, où tout le confort avait été étudié par des gens qui s'appelaient Charles Fourier et Victor Considérant. Fourier était mort et Considérant avait été exilé par le coup d'État. Leurs idées restaient. Leurs plans appartenaient à la communauté des hommes.

Hector s'exaltait. Comme ils passaient près d'une église, il s'écria que cette architecture fermée, opaque, n'était que l'expression de la peur.

– C'est la forêt sombre que le gothique, dit-il. C'est la grotte. Toute l'architecture du passé, conçue pour une société opprimée, sans cesse sur le qui-vive, se réfère toujours au château fort. On s'y enferme, on y épie l'attaquant éventuel par de petites ouvertures et les rues elles-mêmes, qui mènent à ces maisons, sont étroites afin de se boucler plus facilement. Nos villes vont s'élargir et nos habitations s'agrandir. De l'air, de la lumière, des circulations sans entraves, la ville aura des aspects grandioses...

Ils arrivaient en haut de la rue du Faubourg-Poissonnière. À mi-chemin, en descendant vers le boulevard Bonne-Nouvelle de sinistre mémoire, une puanteur de fumier et d'ordures les arrêta. Se trouvait là une vacherie. Dans la cour, des oies, des poules, des canards faisaient un vacarme du diable.

Julie, qui avait jusque-là écouté bien sagement Hector, eut un petit rire ironique :

– Tu en auras, du mal, à décrotter tout ça !

Hector se tut, soudain très triste. Et il vit ce qu'il oubliait de voir, dans cette rue si passante, si animée, sans cesse ébranlée par les charrettes des mareyeurs qui arrivaient de Normandie. Ces lumières, par les soupiraux, indiquaient des caves habitées. En bas de la rue, il retrouva l'emplacement de la bourrellerie de Bathild, cette bourrellerie qui n'existait plus et que remplaçait une épicerie, comme n'existait plus Bathild, sinon dans le tableau de Courbet.

Le refus des Halles en pierre de Baltard par Louis Bonaparte fit reprendre à Hector et à Ambroise leurs plans d'un édifice entièrement en fer et en verre, avec de très larges ouvertures, des travées abritées qui anticipaient sur ces rues couvertes dont rêvait Hector. Ambroise était très optimiste pour ce nouveau concours car il s'était faufilé dans les allées du pouvoir et comptait sur certains appuis. À sa grande stupéfaction, Baltard fut de nouveau choisi et, cette fois-ci, avec un projet qui n'était plus en pierre, comme celui que le prince-président avait fait détruire, mais en métal. Un projet qui ressemblait beaucoup à celui d'Hector et d'Ambroise. L'imposture du Crystal Palace recommençait.

Si les allées du pouvoir ne s'étaient pas révélées aussi favorables à Ambroise qu'il l'espérait, elles lui révélèrent néanmoins ce qui s'était produit.

Le nouveau préfet de Paris, Haussmann, qui avait joué un rôle déterminant en province lors du coup d'État, était un ami de Baltard et il lui avait soufflé ce que l'Empereur maugréait à propos des Halles : « Ce sont de vastes parapluies qu'il me faut, et rien de plus. »

Haussmann ressortit donc des cartons les parapluies métalliques d'Hector et les montra ostensiblement à Baltard, lui disant : « Il s'agit de prendre votre revanche. Faites-moi, au plus vite, un avant-projet suivant ces indications. Du fer, du fer, rien que du fer ! »

Haussmann, rapportèrent les indicateurs d'Ambroise, eut beaucoup de mal à convaincre Baltard.

Classique endurci, Baltard répliquait que le fer n'était bon que pour les ingénieurs. Un architecte, un artiste, ne pouvait rien créer avec ce matériau industriel. Comment lui, grand prix de Rome, se compromettrait-il avec une chose aussi vulgaire ! Baltard résista longtemps. Son nouveau projet entourait chaque pavillon d'un mur de pierre de taille, reléguant le fer dans la toiture. Haussmann lui demanda d'éliminer la pierre. Baltard la maintint encore dans les piliers. Enfin Haussmann consentit à ce que son architecte conserve seulement des dés de pierre à la base des colonnes de fonte de l'édifice.

Haussmann glissa alors le projet de Baltard dans les dossiers de l'empereur qui, enthousiaste, demanda que cet architecte soit immédiatement décoré.

Cette fois-ci Hector entra dans une fureur qui stupéfia Ambroise. La manœuvre politique était indigne. Il savait bien qu'il n'y avait rien de bon à attendre de ce prince-président. Se faire couronner empereur, avait-on idée d'une pareille bouffonnerie ! Et maintenant qu'il s'est offert une situation sociale, voilà que ce vieux garçon se marie. On n'en finit plus de fêtes royales : le sacre et maintenant les noces ! De quel repaire de forbans avait-il tiré Haussmann, son homme de main ? Ah ! on était bien partis, avec une telle bande de brigands !

Ambroise essayait de le calmer. Déçu lui aussi, amer, fatigué de lutter pour des projets toujours refusés, il ne perdait néanmoins pas espoir. L'empereur n'avait-il pas opté, en réalité, pour leur architecture, même si un imposteur la signait ? Ne préconisait-il pas la construction de cités ouvrières ? Les premiers branchements d'immeubles sur les égouts n'allaient-ils pas mener vers cette ville hygiénique dont ils rêvaient ? Les saint-simoniens, dont on ne pouvait dire qu'ils n'étaient pas socialistes, et parmi les premiers, ne se ralliaient-ils pas à celui qu'ils appelaient « le despote éclairé » ? Enfin, Proudhon libéré de prison, cela ne confirmait-il pas encore le libéralisme de l'Empire ?

– Despote éclairé ! protestait Hector. A-t-on jamais vu un despote lumineux ? D'ailleurs ton despote se soumet déjà à l'Église. Son mariage avec la Montijo, dont on dit qu'on ne trouve pas plus bégueule, est un premier pas. Et que dis-tu du Panthéon, rendu au culte catholique ! Les grands hommes, envers qui la patrie était si reconnaissante, n'en parlons plus ! Voltaire et Rousseau, enfouis dans la cave, sont bien cachés ! Et ce Monsignore Sibourg, l'âme damnée de Cavaignac, l'archevêque de Cavaignac, comme il a vite trahi ! Le voilà maintenant bonapartiste. Mais qui bouffe l'autre ? Le cardinal ou l'empereur ?

– Ne sois pas injuste, dit Ambroise. En réalité, l'empereur nous redonnera notre chance. Je le sais par les amis que j'ai là-haut. Napoléon veut qu'en 1855 la France organise une Exposition universelle qui surpassera celle de Londres. Il souhaite que le palais des Arts et de l'Industrie, qui se construira sur les Champs-Élysées, soit réalisé suivant les principes du Crystal Palace, c'est-à-dire conforme à nos plans.

– Conforme à nos plans et réalisé par quelqu'un d'autre !

– Cette fois-ci, on ne nous reprochera pas d'être étrangers. Nous construirons le Crystal Palace dans notre propre pays.

Hector, désappointé, bougon, refusait de modifier quoi que ce soit aux plans du Crystal Palace de Londres.

– On l'a trouvé trop français de l'autre côté de la Manche, le trouvera-t-on ici trop anglais ? ironisait-il. Je n'y changerai rien. Mon architecture n'est ni française ni anglaise, elle vaut pour tous les pays. Tous les hommes se ressemblent, ont les mêmes besoins. Notre tâche est de créer le langage universel de l'architecture et de la ville.

– Nous devrons quand même nous adapter au site, répliquait Ambroise.

Il entraînait son associé vers les Champs-Élysées, comptait en pas et en coudes la longueur et la largeur des travées, ce qui agaçait Hector qui ne croyait qu'au système métrique.

Le terrain offert pour le bâtiment unique devant abriter l'Exposition universelle de 1855 était en friche. Seuls des hôtels particuliers, que des banquiers faisaient construire, délimitaient la future avenue qui buterait sur la barrière de l'Étoile où l'Arc de triomphe rappelait la mémoire du premier Napoléon.

La place de l'Étoile était pour l'heure bordée par l'octroi et des boutiques de marchands de vin. Tout près, un baraquement de bois et de toile servait d'hippodrome, pouvant contenir vingt mille spectateurs sur des gradins en planches.

Avec cette succession d'échecs, le caractère d'Hector se modifiait. Son humeur s'assombrissait. Il devenait facilement agressif, supportait mal la placidité de son associé.

– Placer ici notre Crystal Palace, grognait-il, c'est de la brioche donnée aux cochons. Regarde ces bâtiments, laids comme des ministres, que les banquiers font construire de chaque côté de l'avenue. En pierre de taille, bien sûr, moulurés, ornés de décors qui croient s'inspirer du style de Louis XIV. Le décor, en notre siècle de l'industrie, c'est de la putasserie. C'est un crime. Oui, un crime !

– Tu exagères, répondait Ambroise.

– Une faute de goût est un crime. Tu ne vois pas que ces boursouflures, ces enflures, expriment déjà la face bedonnante d'une société où les agioteurs, les prévaricateurs, vont être rois ? Ton Bonaparte a pris le pouvoir dans la nuit, comme un voleur...

– Tais-toi. Tu voudrais nous faire rater ce concours que tu ne t'y prendrais pas autrement. Si tu t'affiches antibonapartiste, comment pourrons-nous être choisis ?

– Nous serons choisis parce que nous sommes les meilleurs.

– Ah ! Tu n'as pas changé. Je te retrouve comme à l'École. Aussi naïf...

– Pourquoi es-tu venu me rejoindre, si tu me croyais naïf ?

Ambroise rougit :

– Non, naïf n'est pas le mot. Trop confiant. Trop pur. C'est vrai que nous sommes les meilleurs, que tu es le meilleur. Ce que nous avons réalisé, personne n'en avait eu l'idée. Mais on nous a pris l'idée. Les idées ne s'enferment pas dans un coffre-fort. Si nous n'obtenons pas de protecteurs, si quelqu'un de puissant, qui tire les ficelles du pouvoir, n'approuve pas et n'impose pas nos idées, elles resteront sur le papier. D'autres en profiteront, plus habiles que nous.

– Tu t'es infiltré pour les Halles près de ces puissants et tu vois ce que ça a donné. Baltard tenait dans sa poche le préfet Haussmann.

– Non, c'est Haussmann qui avait fourré Baltard dans la sienne. Il avait besoin de ligoter le plus puissant des architectes fonctionnaires de la Ville de Paris pour que les plans qu'il prépare en secret, avalisés par Baltard, s'imposent sans problème. Nous, qui ne sommes rien, comment le servirions-nous ? Et d'ailleurs, plaisanta Ambroise, tu te vois, toi, servant de caution à Haussmann ?

Hector ne répondit pas. Il ne s'imaginait pas, en effet, au service du préfet, mais il se disait qu'Ambroise...

En prenant le pouvoir, Napoléon III déclara solennellement : « L'Empire, c'est la paix. » Moins de deux ans plus tard, il déclarait la guerre à la Russie.

L'année s'annonçait mauvaise, les récoltes défectueuses. Les paysans, qui avaient fourni le gros des votants pour l'Empire, commençaient à maugréer. À Paris, les pauvres s'agitaient à cause du choléra. La guerre de Crimée offrit une excellente diversion. Les caricaturistes oubliaient les malheurs du temps et s'en prenaient au tsar et aux cosaques qu'ils montraient mangeant des chandelles. Quant à la mode, elle chavira du côté des militaires. Les femmes s'habillèrent avec des caracos de zouaves, des manches de spahis et se chaussèrent de bottes à la hussarde.

Lorsque Hector vit Julie ainsi costumée, il entra dans une fureur qui étonna à tel point la jeune femme qu'elle disparut. Une fuite inopinée.

Disparut totalement.

Ambroise persuada Hector de rendre visite à

Courbet. Peut-être Julie était-elle retournée chez le peintre, qui avait constamment besoin de modèles.

Courbet habitait toujours dans son atelier de la rue Hautefeuille, entre la brasserie Andler et cet ancien couvent des Cordeliers qui servit de club révolutionnaire en 1791. Très affairé, ayant au feu plusieurs tableaux, il crut rassurer Hector en lui disant qu'il n'avait pas vu Julie et que cela ne l'étonnait pas qu'elle soit partie, qu'elle reviendrait. Elle lui avait fait le coup plusieurs fois et il avait été bien gentil de la reprendre. Les femmes ne lui manquaient pas.

– As-tu vu celle-là ?

Et il désigna un énorme corps féminin représenté de dos, une serviette enroulée au bas des reins. Un dos de lutteuse, avec des muscles en saillie, d'énormes mollets et un fessier boursouflé de graisse.

– Mon premier nu exposé au Salon, l'an dernier. Tu ne l'avais pas remarqué ?

– J'ai manqué le Salon.

– Dommage. Badinguet, lui, l'a visité, comme il se doit pour un Imperator. Et tu sais ce qu'il a fait, devant ma baigneuse ? Il lui a cravaché les fesses en disant : « C'est une percheronne ! » Une percheronne ? Ma foi, j'aime bien les juments.

Hector, fasciné par ce tableau représentant une Diane sortant du bain, qui ressemblait à une bourgeoise avec son chignon noir, une bourgeoise dont on ne voyait pas le visage, puisqu'elle tournait le dos, moins impudique par sa posture que par toute cette graisse de charcutière qui suait la vulgarité.

– Hein ! Ça t'en bouche un coin, reprit Courbet. Rubens est enfoncé. Ses matrones, à côté de ma bonne femme, paraissent maigrichonnes.

Dans un coin de l'atelier, Hector aperçut un portrait inachevé. Il reconnut Proudhon.

– Oui, je peins Proudhon et sa douce famille. Est-il toujours de tes amis ?

– Pas revu depuis la prison.

– Il a un logement plus agréable, maintenant, 83, rue d'Enfer. Peu de chances que tu y trouves Julie. Mais il te parlera de Badinguet mieux que je ne saurais le faire. Tu sais, l'Empire est fichu.

Désœuvré, depuis le départ de Julie, laissant à Ambroise toutes les tâches pour le palais de l'Industrie, Hector se rendit chez Proudhon. Si l'Empire est fichu, se disait-il, l'Exposition universelle tombera, elle aussi, dans le trou. À quoi bon s'esquinter ! Et puis, sans Julie, il n'avait plus envie de rien. Sinon d'elle.

La barrière d'Enfer, percée dans le mur des Fermiers-Généraux, se transformait en un quartier agréable. Hector s'attarda devant les deux grands bâtiments à arcades que l'architecte Claude Nicolas Ledoux avait construits pour les bureaux et les logements de l'octroi.

Hector était peu sensible à l'architecture du passé, sauf à certains visionnaires comme Ledoux. Ledoux qui, sous Louis XVI, conçut une ville industrielle pour les salines d'Arc-et-Senans, en Franche-Comté, première cité rationnelle, étudiée non pas pour l'apparat, non pas pour le prince, non pas pour l'Église, mais pour les travailleurs d'une industrie. Il n'en avait vu que des dessins, des plans, qu'il commentait avec enthousiasme lorsqu'il était étudiant à l'École des beaux-arts, sous les lazzis de ses condisciples. L'emploi de formes pures et simples par Ledoux (la sphère, le cube, le triangle) devint la base de sa grammaire. Que cette esquisse de ville industrielle se fût accomplie à quelques lieues d'Ornans, où Courbet avait son gîte, et dans cette même Franche-Comté où naquit Proudhon, le troublait beaucoup. Y aurait-il donc des régions prédestinées ? Et pourquoi ces trois hommes, de professions et d'origines si différentes, se réunissaient-ils, si actifs, dans sa propre vie ?

Tout près de l'adresse de Proudhon, le couvent des Filles du Bon Pasteur, asile pour les femmes perdues, lui tordit le cœur. Pourquoi Julie était-elle partie, si vite, sans un mot ? Ils s'entendaient si bien ! Qui, mieux qu'elle, eût pu comprendre ses angoisses devant ses projets sans cesse repoussés ? Ses angoisses de petit pauvre qui se heurte à une société qui le repousse comme un intrus. Ses angoisses de novateur incompris, ou trop bien compris et pillé. Qui, mieux qu'elle...

En même temps, il avait peur de deviner. Peur de deviner qu'elle avait senti que l'homme sur lequel elle s'était jetée, comme sur une bouée, menaçait lui aussi de couler.

Il eut envie de rebrousser chemin. Pourquoi aller chez Proudhon ? La placidité de Proudhon, son air bonhomme, le déroutaient. Il ressemblait si peu à ses écrits flamboyants. Ce penseur révolutionnaire, le plus célèbre et le plus redouté en Europe, avait beau s'habiller en ouvrier, il ressemblait à un petit-bourgeois. Hector ignorait que les révolutionnaires d'autres pays, qui deviendraient plus célèbres encore que Proudhon, l'Allemand Karl Marx et le Russe Bakounine, avaient fait spécialement le voyage à Paris pour le rencontrer et qu'ils s'inspiraient de ses écrits.

Il se souvint que Proudhon se trouvait toujours sur son chemin aux moments les plus critiques de son existence. Par un curieux hasard. Et qu'aujourd'hui, s'il venait le voir, c'est qu'il se sentait désemparé.

Proudhon le reçut assis sur le seuil du pavillon qu'il habitait. Il faisait beau. Un vaste jardin agrémentait la maison, exposée au sud. Tête nue, sa barbe bien taillée, Proudhon vêtu de son habituelle blouse d'ancien typographe avait déposé son encrier, ses livres et ses papiers sur les marches du perron.

Euphrasie, son épouse, installée tout près, sur un pliant, s'occupait à un travail de couture et leurs deux petites filles, allongées dans l'herbe, jouaient avec des totons. Exquises petites filles, si joliment parées de robes toutes simples mais d'une telle fraîcheur qu'elles s'apparentaient aux sœurs de Courbet, aux coquets atours, que le peintre aimait si souvent représenter dans un cadre champêtre.

Non, vraiment, le courtois Proudhon ne ressemblait pas à cet incendiaire que la bourgeoisie haïssait. Il convia Hector, sans manières, à s'asseoir près de lui sur l'escalier.

Et comme Hector lui parlait de sa visite à l'atelier de Courbet et de son étonnement devant le nu adipeux des *Baigneuses*, il fut stupéfait d'entendre Proudhon lui dire, avec ce curieux accent (l'accent des autres est toujours curieux) identique à celui de Courbet :

– Cette bourgeoise charnue et cossue, déformée par la paresse et le luxe, en qui la mollesse et la masse étouffent l'idéal, est destinée à mourir de poltronnerie, quand ce n'est pas de gras fondu.

Hector était habitué à ce que Proudhon ramène toujours sa lecture de l'art à l'analyse politique, mais là il y allait un peu fort.

– Ne croyez-vous pas que Courbet a voulu, en exagérant les appas de sa baigneuse, se moquer des nus sans chair, sans sexe, de ses confrères ? Il leur a flanqué à la figure une masse de viande qui paraît plutôt sortir de la chambre à coucher que du bain. Mais en même temps, ce n'est pas de la caricature. Le décor boisé, verdoyant, est superbe. Et cette étoffe rouge, accrochée près de la blancheur de la serviette, Delacroix n'a pas fait mieux.

– Bah ! dit Proudhon. Je vous dis que c'est une simple bourgeoise dont le mari, libéral sous Louis-Philippe, réactionnaire sous la République, est actuellement un des sujets les plus dévoués de l'empereur.

Cette manière de Proudhon de toujours moraliser avait quelque chose d'agaçant. Il ajouta :

– Avez-vous vu *Les Cribleuses de blé* et *La Fileuse endormie*, voilà la peinture de l'avenir.

Hector ne les connaissait pas. Mais il imaginait et convenait que l'on devait trouver là une réponse à leurs préoccupations sociales communes.

– Que penser de la guerre de Crimée ? demanda Hector. Courbet me dit que l'Empire est fichu.

– Napoléon III vient de brûler ses vaisseaux et de déchirer sa dernière carte, la plus précieuse, sa carte révolutionnaire. Cette guerre d'Orient, impérialiste, catholique, antinationaliste, oui, Courbet a raison, l'Empire est fichu.

Hector regardait avec une certaine envie ces petites filles qui jouaient, si calmes, aux pieds de leur père ; cette femme, ancienne ouvrière épousée par Proudhon encore incarcéré et qui, avec son corsage gris, pudiquement boutonné jusqu'au menton et son bonnet à pétales blancs, n'avait vraiment rien d'une pétroleuse. Il lui parut inopportun de parler de Julie. Comme il prenait congé de ses hôtes, Proudhon lui dit avec une certaine solennité :

– Vous allez pouvoir construire pour le peuple. Oui, oui, l'Empire est fichu.

Ni Proudhon, ni Courbet, ni Hector n'imaginaient que le second Empire qu'ils jugeaient agonisant se maintiendrait, et avec quel brio, pendant seize nouvelles années.

Devant la porte d'Hector, il y avait Julie, assise à croupetons. Elle n'était plus costumée en zouave. Il ne lui demanda pas où elle s'était procuré cette robe à crinoline un peu déglinguée, néanmoins quelque peu déplacée dans cette vieille maison du quartier Latin. Elle se leva sans dire un mot, regarda Hector d'un air malicieux, un peu espiègle. Et, la porte ouverte, le poussa dans la chambre en éclatant de rire.

4.

AMBROISE LAGUT avait été marié par sa famille à une héritière très convenable. Sophie appartenait à ces dynasties bourgeoises qui, après avoir fait fortune sous Louis-Philippe, surent habilement placer leurs capitaux sous l'Empire dans ce qui était à la fois le plus audacieux et le plus lucratif : la spéculation immobilière liée à cette transformation de Paris que le préfet Haussmann mettait en œuvre.

Dans ce contexte, unir sa progéniture à un architecte pouvait constituer un bon placement. D'autant plus que cet architecte les avait conduits dans une aventure extrêmement rentable.

Comme on le sait, depuis que l'amitié avait uni Ambroise et Hector à l'École des beaux-arts, le premier avait toujours pris au sérieux ce que lui disait le second. Même si Ambroise plaisantait parfois sur les dadas d'Hector, comme ces mirifiques lignes de chemin de fer, qui... Mais il retenait tout, Ambroise, tout ce qu'Hector avançait. Toutes les idées, tous les noms. Et, parmi ces noms, celui des frères Pereire.

Hector évoquait les Pereire parce que, tout comme les ingénieurs polytechniciens qui allaient se lancer à corps perdu dans l'épopée des chemins de fer, ils étaient saint-simoniens. Puisque le pape du socialisme saint-simonien, le Père Enfantin, donnait son allégeance à l'Empire, les frères Pereire, banquiers futés, suivirent le mouvement.

Sans doute Hector avait-il aussi un faible pour les Pereire en raison de leurs origines très modestes. Émile et Isaac Pereire, élevés par leur seule mère, avaient dû travailler très tôt comme employés aux écritures. Ils en profitèrent pour s'initier aux arcanes de la finance et, lorsque les Rothschild leur offrirent des postes de cadres, ils se sentirent pousser des dents de fauves.

Sous Louis-Philippe, la haute finance était la propriété des Rothschild. La révolution de 1848 les prit au dépourvu et leur accointance avec le roi parut telle que la villa de Salomon, à Suresnes, fut mise à sac comme les Tuileries. Lorsque Louis Napoléon Bonaparte devint prince-président de la deuxième République, les Rothschild le considérèrent comme « une nullité politique ». Ils n'étaient pas les seuls à se tromper. Le si habile M. Thiers ne disait-il pas du deuxième Bonaparte, avant le coup d'État qui le jetterait quelque temps en prison : « C'est un crétin que l'on mènera » ?

L'avènement de Napoléon III éloigna donc provisoirement les Rothschild des affaires. Les frères Pereire, dont l'ascension avait été fort lente (ils approchaient alors de la cinquantaine), en profitèrent pour abandonner leurs patrons, s'engouffrant précipitamment dans l'espace vide en offrant à Haussmann de financer la réorganisation de l'urbanisme parisien.

Leur proposition fut d'autant mieux reçue que les financiers traditionnels renâclaient à donner leur soutien à Haussmann et que les spéculateurs hésitaient à spéculer.

Placer son argent dans d'hypothétiques voies ferrées qui relieraient Paris à la Méditerranée paraissait en 1855 une folie dans laquelle peu de banquiers s'aventuraient. Il fallait avoir été élevé dans l'utopie saint-simonienne, comme les frères Pereire, pour oser miser sur l'avenir des chemins de fer dès l'apparition de leurs premières esquisses. Parce que Hector avait foi dans la transformation de la société, et, par là même, de la vie, que l'extension et la généralisation du chemin de fer apporteraient, il avait donc souvent évoqué les frères Pereire devant Ambroise.

L'enthousiasme d'Hector était contagieux. Ambroise sut le communiquer aux parents de Sophie, comme à ses propres parents. Les uns et les autres se félicitèrent très vite d'avoir écouté Ambroise. Les actions de Pereire se révélaient mirifiques.

Malheureusement, si Ambroise avait ainsi conquis Sophie, il ne réussit pas à rencontrer les Pereire, devenus divinités inaccessibles. Et ses démarches pour le projet du palais de l'Industrie se perdirent dans les méandres administratifs.

Il sut que Napoléon III avait apprécié leur grande halle métallique. Néanmoins, maintenant qu'il s'était coiffé de la couronne impériale, il lui paraissait inconvenant de laisser nue toute cette ferraille. Il fallait l'habiller, lui donner un décor. Le « palais » de l'Industrie devait être un palais et un palais ne pouvait ressembler aux halles de commerce. D'autant plus qu'à la différence de l'Exposition universelle de Londres celle de Paris ne serait pas uniquement industrielle et qu'elle se proposait d'unir les beaux-arts et les arts mécaniques.

Hector ne fut pas trop déçu. Il s'attendait à ce refus. Mais Ambroise s'effondra. Tant qu'il était demeuré célibataire, comme Hector, les échecs ne l'avaient pas affecté. À chaque fois, il se disait que c'était partie remise, que les idées novatrices tardent en chemin mais qu'elles finissent par triompher. Il les avait vues triompher à la fois à Londres et aux Halles par personnes interposées. Avatar certes désagréable, qui confirmait toutefois la justesse de leur propos. Là, c'était plus grave. L'empereur jugeait leur idée bonne, à condition qu'on ne la remarque pas, qu'elle disparaisse derrière un décor, ce décor qu'ils avaient toujours proscrit comme inutile. Pire qu'inutile, insultant. Ce décor de pierres rendait invisible leur architecture, considérée comme une sorte de squelette qu'il fallait habiller de chair et d'étoffes.

Ambroise, Sophie et ses parents considérèrent ce camouflet comme une catastrophe. Ambroise, à près de quarante ans, n'avait presque réalisé que des architectures de papier. Des architectures de papier qui ne se convertissaient pas en papier-monnaie. Certes, la dot de Sophie était confortable et la famille d'Ambroise, qui boursicotait avec talent, pourvoyait à son entretien. Mais chez ses beaux-parents, comme chez ses parents, et bientôt à son foyer, une lutte sournoise s'engagea pour le détacher d'Hector.

Il avait beau leur rappeler que s'ils gagnaient tant d'argent avec les Pereire c'était parce que Hector avait eu la perspicacité de retenir ce nom. Retenir ce nom, soit, mais qu'en avait-il fait ? Rien. Puisqu'il croyait tant aux chemins de fer, pourquoi ne s'était-il pas précipité pour leur proposer ses services ? Ambroise admettait qu'il aurait dû, lui-même, tâcher de tirer profit de cette prémonition d'Hector. Ils auraient été, tous les deux, les premiers architectes des chemins de fer, qui demandaient tant de gares, de haltes, de hangars à locomotives... Ils s'étaient fait rafler la mise par les ingénieurs saint-simoniens qui accaparaient toutes les commandes. Ambroise reconnaissait qu'il s'était trop laissé aller à rêver avec Hector. Les rêves d'Hector, si envoûtants, si grandioses, finissaient par vous annihiler.

Bientôt la vieille disqualification qui poursuivait Hector depuis l'École des beaux-arts refit surface : le fils du charpentier. Mais oui, les projets d'Hector : seulement des charpentes. Il ne concevait un édifice qu'en fonction de sa structure. L'architecture ce n'était pas ça, tous les siècles le disent. Et l'empereur le comprenait bien.

Tant d'objections, surtout lorsqu'elles se glissent dans la tiédeur du foyer, dans l'intimité d'un récent ménage, en s'insinuant deviennent obsédantes. Sophie n'était point sotte. Plus instruite que la plupart des femmes de son âge, elle s'intéressait à toutes les nouveautés. Par exemple cette bibliothèque Sainte-Geneviève qu'Henri Labrouste venait de construire près du Panthéon. Labrouste, considéré comme l'architecte le plus hardi de son temps, le moins académique en tout cas et, comme tel, honni par l'Institut, s'il utilisait le fer forgé pour les doubleaux de la couverture de son édifice et des piliers de fonte pour la supporter, habillait néanmoins l'ensemble d'une façade de style Renaissance. C'était cela, l'architecture moderne, et rien d'autre. Est-ce que la gare de l'Est, tout juste inaugurée, ne comportait pas une façade en pierre de taille ? Là aussi, l'alliance du fer, du verre et de la pierre, de l'industrie et du décor, s'accomplissait avec bonheur. Serez-vous les seuls, disait Sophie, à vous obstiner devant l'évidence ?

Ambroise finissait par être ébranlé. Lorsqu'on lui susurrait qu'Hector était borné, il protestait. Lorsqu'on lui susurrait qu'il était sectaire, il acquiesçait un peu.

L'intensité de la circulation des voitures hippomobiles dans Paris amena les services de la préfecture à préconiser le creusement de galeries pour y installer un chemin de fer souterrain. Cette idée, qui parut folle, et ne sera retenue que cinquante ans plus tard, enthousiasma à un tel point Hector qu'il imagina aussitôt plus grand et plus difficile : creuser un tunnel sous la Manche qui relierait la France et l'Angleterre.

Cette fois-ci, Ambroise s'avoua vaincu. Pourquoi ne pas envisager d'autres applications possibles du réseau de voies ferrées souterraines, proposer des gares inédites, et non pas s'emballer pour un projet irréalisable ? Il ne se voyait vraiment pas dire à Sophie qu'il allait étudier un tunnel sous la Manche. Elle l'aurait jugé malade du cerveau. Irrécupérable. Si elle se montrait patiente, ouverte au modernisme, il ne fallait quand même pas abuser.

Comme tout le monde, Sophie avait lu et beaucoup aimé les *Scènes de la vie de bohème* de Henri Murger. On venait d'apprendre par la presse que Murger, symbole de la bohème louis-philipparde, vivant désormais de ses revenus, s'installait bourgeoisement à la campagne, près de Fontainebleau. Sophie avait beau jeu de railler son mari qui s'attardait dans une bohème périmée. Et Ambroise revoyait Murger, lui aussi familier de la brasserie Andler, avec sa barbe soignée et son crâne chauve, buvant sa chope de bière près de Courbet et de Proudhon. Proudhon lui-même, s'il ne se calmait pas dans ses écrits, menait une vie bien paisible depuis son mariage. Restait Courbet, irréductible, mais Courbet, si l'Institut le repoussait, n'en était pas moins célèbre et vendait ses toiles fort cher. Rien de comparable avec Hector qui végétait, sans admettre sa médiocrité, toujours perdu dans ses rêves.

Il tenta de le réveiller, de le raisonner. Ils avaient subi trop d'échecs. Pourquoi ne pas en tirer les conséquences, en étudier les causes, tenter d'y remédier ?

– Les causes sont évidentes, répondit placidement Hector. Nous arrivons trop tôt. Tout nous donne raison : le Crystal Palace, les Halles, c'est nous...

– Ce n'est plus nous puisqu'on nous a pillés.

– On nous a pillés parce que nous étions dans la vérité.

– Pour l'Exposition universelle de Paris, l'empereur nous a donné tort.

– Il s'est trompé. Il a été mal conseillé.

– Où est Julie ?

– Je l'ignore.

– Elle t'a encore quitté ?

– Elle reviendra.

– Tu es incorrigible.

– On ne corrige que les faux calculs.

– Je ne peux plus te suivre, Hector. Tu es trop fou. J'en ai le cœur gros, tu sais. Seulement, si tu t'obstines nous n'arriverons à rien. On nous refusera tout. Ou bien on nous pillera et on arrangera nos découvertes à la mode voulue. Je suis obligé de te demander de casser notre association. Nous irons désormais chacun notre chemin.

Hector arracha de sa table de travail une grande feuille de papier, qu'il déchira.

– Que fais-tu ?

– Je voulais te montrer quelque chose que je dessinais pour nous deux. Maintenant, ce n'est plus la peine.

– Tu ne me perdras pas, Hector. Si tu as besoin de quoi que ce soit, appelle-moi. Mais tu vas perdre Julie.

– Non, elle reviendra.

– Julie est trop belle. Et les femmes qui ont eu tellement d'hommes ne peuvent pas rester fidèles.

– Je ne lui demande pas d'être fidèle.

– Puis-je t'embrasser, Hector ? Nous ne nous sommes même jamais serré la main. On était de si bons compagnons.

D'un geste brusque, il étreignit Hector, puis partit très vite, sans se retourner.

Le 15 mai 1855 s'ouvrait à Paris la première Exposition universelle française.

Bien que séparé d'Hector, Ambroise Lagut fit valoir ses droits sur la structure de l'édifice. Ses arguments ne furent pas retenus. On lui opposa, non sans raison, que Viel, l'architecte finalement choisi pour construire le palais de l'Industrie, apportait à leur projet repoussé des innovations incontestables : les agrafes métalliques et le verre enchâssé. De plus, la portée du bâtiment central, avec ses quarante-huit mètres, dépassait de beaucoup leurs propres calculs, doublant celle du Crystal Palace de Londres.

Cette constatation troubla beaucoup Ambroise. Et si les calculs si audacieux d'Hector se révélaient finalement périmés ? Rien de plus mauvais pour un architecte que de ne pas construire, que de ne pas être obligé de s'affronter aux difficultés de la réalisation, que de ne pas, jour après jour, ajuster ses plans aux nécessités du chantier. N'avaient-ils pas adopté, tous les deux, une attitude trop confiante dans leur génie ? Ambroise n'avait pas osé l'avouer à Hector après s'être rendu sur le chantier des Halles : Baltard, lui aussi, ne s'en tirait pas mal du tout.

Ils avaient indiqué le chemin et maintenant, ceux qui riaient lorsqu'ils partirent en éclaireurs se mettaient dans leurs pas, rassurés : la route tracée ne conduisait pas à un précipice.

Hector, lui, qui avait retrouvé Julie, ne s'affectait pas de son éviction de l'Exposition universelle, puisque Courbet en était aussi exclu. Si Courbet, le plus grand innovateur de son temps en peinture, n'était pas jugé digne de l'Exposition universelle, aucun doute, ses organisateurs se révélaient des ânes ou des escrocs.

Les liens amicaux entre Courbet et Hector s'amplifiaient. Même si leurs deux conceptions de l'art pouvaient paraître antagonistes (la froideur du métal du premier, la sensualité de la pâte et de la couleur du second), eux savaient bien que le refus de la médiocrité, que leur conception sociale de l'art et de l'architecture, que la haine des architectes et des artistes officiels les rapprochaient de plus en plus.

De temps en temps, Courbet disait à Hector :

– Prête-moi Julie, j'ai besoin d'un torse sublime.

Il ajoutait, en amplifiant son accent franc-comtois, comme souvent, surtout lorsqu'il s'amusait à agacer les Parisiens :

– Avec moi t'as rien à craindre. Je te la rendrai en bon état.

Hector ne ressentait aucune jalousie vis-à-vis de Courbet. Il savait que cet ogre dévorait surtout les femmes avec les yeux, qu'il les savourait en leur volant leur image, que sa sensualité insatiable se transmuait sur ses toiles en scènes souvent troublantes, ambiguës, perverses. Et les modèles qui se trompaient, en croyant avoir éveillé pour longtemps la sexualité du peintre, ne faisaient pas long feu dans l'atelier. La voracité de Courbet, jamais repue, demandait d'autres corps féminins, pour d'autres tableaux.

Pendant six mois, Courbet avait travaillé à une œuvre immense qu'il destinait à l'Exposition universelle, la plus grande toile qu'il ait produite depuis *L'Enterrement à Ornans* et qu'il intitulait bizarrement : *Intérieur de mon atelier, allégorie réelle déterminant une phase de sept années de ma vie artistique.*

Il y avait là trente figures grandeur nature et, au centre, Courbet lui-même, assis sur une chaise, palette dans la main gauche, pinceau dans la main droite, peignant, de mémoire comme à l'accoutumée, un paysage d'Ornans.

Hector, devant ce tableau, pensait aux *Ménines* de Vélasquez.

– Peut-être, dit Courbet, mais pas de salon, pas de roi, pas de princesses. Des gens de tous les jours, que l'on rencontre dans la rue.

À droite, Hector reconnaissait le couple de bourgeois qui passait, indifférent, vu de dos, dans *L'Incendie*. Ici, ce couple insolite apparaissait de profil et le châle qui tombait des épaules de la femme donnait à tout le tableau un chatoiement superbe.

Derrière Courbet, un nu. Devant, un petit garçon et un chien, le petit garçon, aux pieds nus dans des sabots et aux cheveux ébouriffés, émouvait beaucoup Hector. Il se revoyait un peu ainsi, dans la rue Mouffetard, près de l'atelier du charpentier.

– Le petit garçon, Gustave, c'est qui ?

– C'est toi, c'est moi. C'est le peuple enfant.

– Et pourquoi cette tête de mort sur *Le Journal des débats* ?

– Parce que Proudhon a écrit que les journaux sont les cimetières des idées.

– Et tous ces gens, à gauche, ce chasseur, ce marchand ?

– À droite les amis, les écrivains, les amateurs d'art, à gauche le peuple, la pauvreté, la misère, les exploités, les exploiteurs, les gens qui vivent de la mort.

Hector dit :

– On n'a jamais rien montré d'analogue en peinture. Ton tableau fera date.

Il fera date, en effet, pour avoir été refusé par le jury de l'Exposition universelle.

Outré, Courbet, qui n'avait peur de rien, demanda à Hector de lui construire très vite une baraque de toile, à proximité du palais de l'Industrie. Puisque Ingres et Delacroix, dans l'annexe édifiée pour les beaux-arts, en bas de l'avenue Montaigne, disposaient chacun d'une salle entière, Hector monta rapidement un pavillon pour Courbet dans cette même avenue, non loin de la galerie des Machines, édifiée en bord de Seine. L'entrée était payante (dix sous) et une pancarte indiquait la couleur par cette inscription provocatrice : « Du réalisme ».

Le scandale escompté n'arriva pas. Les visiteurs

de la baraque à Courbet étaient rares. Un jour qu'Hector s'y attarda pendant une bonne heure, avec Julie, il n'y vit entrer qu'un seul visiteur. Cet homme examina avec la plus grande curiosité chacun des quarante tableaux. Hector se demandait qui pouvait être cet amateur si attentif. À force de le regarder, des autoportraits de Delacroix lui revinrent à la mémoire. Il s'approcha :

– Monsieur Delacroix, veuillez pardonner mon sans-gêne... Je suis un ami de Courbet et j'ai le grand plaisir de remarquer...

Delacroix ne put cacher son agacement. Puis sa courtoisie reprit le dessus :

– Je découvre un chef-d'œuvre : *L'Atelier*... Un des ouvrages les plus singuliers de ce temps... Il y a aussi de superbes détails dans *L'Enterrement*... Dans ma jeunesse j'enviais une nouvelle peinture qui eût consisté à calquer pour ainsi dire la nature. Il y a deux ans, j'ai vu pour la première fois une peinture de votre ami Courbet. Des *Baigneuses*... J'ai été étonné de la vigueur de ce peintre que je ne connaissais pas. En même temps, quel sujet ! Il calque la nature, c'est vrai, mais avec une vulgarité abominable.

– Monsieur, c'est le peuple que peint Courbet, et jamais d'une manière vulgaire. Cette baigneuse vous a égaré. Il s'agit d'une bourgeoise, nue il est vrai, et les peintres n'ont pas l'habitude de représenter des bourgeoises nues.

Delacroix eut un léger sourire :

– Il n'y a pas que Courbet qui peigne le peuple. Millet s'y exerce aussi et ne scandalise personne. J'ai entendu Millet parler de la Bible, le seul livre, affirme-t-il, dont il admet la lecture. Quelle prétention ! Cela explique la tournure ambitieuse de ses paysans. Et leur douceâtre moralité.

– J'ai eu la surprise, dit Hector, d'admirer dans votre salle d'exposition *La Liberté de 1830*. Comment se fait-il que ce tableau, si célèbre, ait disparu pendant si longtemps ?

– Accroché pendant quelques mois au musée du Luxembourg, on me l'a rendu, comme si cette liberté éclairant le peuple devenait gênante sous Louis-Philippe. 1848 l'a exhumée, un imprésario l'exposa sans succès à Lyon et elle est revenue à Paris où le Louvre l'a placée dans ses dépôts. Maintenant l'empereur la montre à la foule. Pour combien de temps ?

– Les intentions des princes sont impénétrables, dit Hector.

Il remarqua que Delacroix regardait souvent Julie, le plus discrètement possible, néanmoins avec insistance.

– Ne rapportez pas à votre ami les compliments que je formule devant vous. Peut-être penserai-je tout autrement demain.

Delacroix s'éloigna, revint sur ses pas, regarda cette fois-ci Julie de haut en bas, lentement :

– Ah ! monsieur, dit-il, quel beau Courbet !

Hector avait beau affecter l'indifférence devant la réalisation du palais de l'Industrie, il ne pouvait s'empêcher de rôder autour de l'Exposition. Il s'attardait près des ouvriers qui construisaient, avec beaucoup de retard, le pont de l'Alma qui ne sera inauguré qu'un an plus tard. Julie l'avait entraîné dans le petit théâtre qu'un musicien débutant venait d'ouvrir près du palais de l'Industrie : les Bouffes-Parisiens. Depuis que Rossini avait appelé cet Offenbach « le petit Mozart des Champs-Élysées », la foule affluait dans ce bâtiment annexe. Et cet engouement ne rendait que plus cruel l'abandon de l'exposition Courbet.

Était-ce pour cette raison que cet Offenbach agaçait exagérément Hector ? Il avait eu peu l'occasion d'entendre des concerts, ou des opéras, mais Courbet lui avait dit grand bien de Berlioz dont il avait brossé un portrait. Comme Berlioz subissait de nombreuses avanies, qu'il était contesté par l'Académie, Hector le plaçait dans son panthéon, bien qu'il ne sache pas grand-chose, ni de sa musique ni de ses ennuis.

En tout cas, la musique d'Offenbach l'exaspérait. On trouvait Courbet vulgaire, alors qu'il respirait la santé, le grand air, l'hédonisme. Offenbach, qui ne choquait personne, qui faisait rire, qui attirait la foule, lui paraissait la vulgarité incarnée.

Il s'inquiétait de voir Julie prendre un tel plaisir

à écouter des airs aussi stupides. Elle riait si fort des calembours, des mots équivoques, qu'Hector ne pouvait s'empêcher d'apercevoir que la vulgarité d'Offenbach déteignait sur Julie. Sa rousseur perdait de son éclat, devenait trouble. Une Julie qu'Hector ne connaissait pas se dévoilait. Était-ce celle qui, lorsqu'elle s'enfuyait, rejoignait un monde qu'il n'osait imaginer ?

Elle applaudissait tout particulièrement les entrées d'une plantureuse cantatrice qui lui ressemblait un peu et qui se nommait Hortense Schneider.

Non, vraiment, cette bouffonnerie musicale des *Deux Aveugles* le révulsait. Comment pouvait-on rire de la misère, se moquer des pauvres ! Plus Julie applaudissait la Schneider, plus il s'assombrissait. Il ne reconnaissait plus Julie. Assise près de lui dans ce théâtre, elle s'en allait... S'en allait où ? Comment ? Le mot d'Ambroise : « Tu vas perdre Julie », l'obsédait. Perdre... Pourquoi ?

Il avait voulu se montrer insensible lors du départ d'Ambroise, mais cette séparation l'affectait profondément. D'autres mots d'Ambroise lui revenaient : « Je ne peux plus te suivre... Tu es trop fou... Si tu t'obstines, nous n'arriverons à rien... On nous pillera et on arrangera nos découvertes à la mode voulue. »

Bien que certain d'être dans la vérité, non seulement dans *sa* vérité, mais dans *la* vérité, Hector, quand même troublé, inquiet, examinait de plus près ce palais de l'Industrie qui aurait dû être le sien. Et d'abord ce Viel, qui signait le bâtiment, qui était-ce ? Un architecte sexagénaire, dont la compétence se limitait à des maisons décorées de motifs Renaissance. Pourquoi aller chercher celui-là qui, comme Baltard, avait toujours refusé la construction métallique ? Rien n'évoquait l'industrie dans ce palais fait à sa gloire, si ce n'est le hall central, en fonte, qui s'inspirait de ses propres travaux, à lui, Hector. Ce hall, il avait fini par apprendre qu'un ingénieur des chemins de fer l'avait adapté. Le vieux Viel, lui, n'avait rien compris, entourant le hall métallique d'une ceinture de pierre avec des arcades et des baies en plein cintre qui rappelaient grossièrement l'architecture du Quattrocento. L'entrée du « palais » se voulait en effet entrée de palais avec son arc de triomphe s'ouvrant entre des colonnes corinthiennes accouplées. L'entrée d'un cirque de la Rome antique accessible à un troupeau d'éléphants. Pourquoi l'empereur avait-il choisi cette horreur, alors qu'il se montrait si audacieux en demandant des parapluies de fer pour les Halles ? Se prenait-il maintenant pour Jules César ? Voulait-il, comme son oncle, s'entourer d'un faste anachronique pour faire oublier sa roture ? Une architecture de parvenu !

Contrairement à Ambroise, Hector s'était toujours méfié de cet aventurier. À tel point, on le sait, qu'il se joignit, lors du coup d'État, aux insurgés des trop fragiles barricades. Ambroise s'était toujours efforcé de le modérer face à l'Empire. Maintenant qu'Ambroise l'avait quitté, son aversion pour cette nouvelle cour qui s'installait allait grandissant.

Lorsqu'on lui demandait ce qu'il avait admiré au palais de l'Industrie, il répondait :

– Rien. Sauf la machine à coudre de l'Américain Isaac Singer.

On riait. Lui parlait très sérieusement.

La très désagréable impression ressentie par Hector aux Bouffes-Parisiens s'estompa. Julie redevenait telle qu'il l'aimait. Un soleil ! Avec elle, le pauvre logement de la montagne Sainte-Geneviève, qui servait aussi, maintenant, d'atelier d'architecture, depuis qu'Ambroise s'était « dérobé », se transfigurait. Il ne pensait pas « séparé », mais « dérobé ». Le départ d'Ambroise, il le percevait comme une trahison. Ils ne s'étaient pas revus. Il n'avait pas envie de le revoir. Avec cette cassure, s'éloignait le temps de l'École des beaux-arts. Il jugeait maintenant son association avec Ambroise comme une compromission. Ne l'avait-elle pas empêché d'aller plus loin ?

Puisque Julie était là, aimante, drôle, joyeuse, il résolut de frapper un grand coup en s'attaquant à ce projet auquel il pensait depuis longtemps, et dont l'énormité, l'invraisemblance, avaient été la cause décisive de la rupture avec Ambroise : relier la France et l'Angleterre par un tunnel sous-marin.

Ah ! Ambroise le croyait fou. Eh bien ! on allait voir de quelle folie il était capable.

Puisque l'Angleterre et la France s'affirmaient les deux pays les plus modernes du monde, les plus industrialisés, pourquoi ne pas rompre leur rivalité en les rattachant par un système de communication supprimant l'hostilité de la mer et l'insularité ?

Hector élimina l'idée du tunnel classique, trop coûteuse, et celle du pont, trop dangereuse pour la navigation, mettant au point un double tube, en forte tôle qui, placé au fond de la mer, permettrait le passage des trains. À l'objection de l'asphyxie par la fumée des locomotives, il répondit en supprimant les locomotives, les pentes données à ces galeries sous-marines établissant une impulsion suffisante pour opérer la traversée sans le secours d'une traction mue par la vapeur. Sur les rives anglaise et française, des machines à air comprimé, recevant les wagons en bout de piste, les élèveraient à la surface du sol.

En un temps où l'architecture se consacrait aux grands travaux entrepris par le préfet Haussmann, où la rue de Rivoli s'achevait, où s'inaugurait le grand magasin « Au Louvre », où l'on construisait hâtivement des immeubles le long du nouveau boulevard qui portait le nom d'une victoire en Crimée : Sébastopol ; en un temps où tous les architectes s'engageaient donc dans une fructueuse opération immobilière, la plus gigantesque que l'on ait jamais vue, puisque Haussmann et Napoléon III n'entreprenaient rien de moins que d'éventrer le vieux Paris pour en édifier un nouveau, cossu, opulent ; en un temps où l'architecture sacrifiait au veau d'or, qu'un architecte reconnu pour son esprit chimérique se lance dans une aventure aussi gratuite, puisque impossible, ne pouvait passer inaperçu.

Hector s'était fait une renommée insolite. Parmi tous ces praticiens issus comme lui de l'École des beaux-arts et dont beaucoup comptaient parmi ses anciens condisciples, on le percevait comme un bouffon de service. Bien qu'il n'eût plus aucun contact avec eux, depuis sa séparation d'avec Ambroise, eux s'amusaient à épier les projets de ce comique dont on parlait joyeusement à la fin des banquets. Ce chemin de fer sous la Manche leur fournit un lot de plaisanteries inépuisable.

Hector, qui dessinait lentement dans son atelier, avec une précision dans les détails aussi minutieuse que si son étude devait être réalisée demain, ne se doutait pas qu'elle suscitait tant de commentaires. À tel point que lorsque la reine Victoria se rendit à Paris pour visiter l'Exposition universelle, elle demanda à Napoléon III, d'un air amusé, s'il était exact que, comme son illustre aïeul, il songeait à creuser un tunnel pour envahir l'Angleterre. Badinguet, qui ignorait le projet d'Hector, bafouilla, en réponse, on ne sait quoi.

Sans Ambroise qui, dans leur association, s'occupait activement des relations avec les entrepreneurs et l'administration, Hector se voyait désemparé pour proposer son étude. Car il entendait bien la réaliser. Ce projet si vaste, si coûteux, nécessitait d'abord un accord entre les deux pays intéressés et un financement par une société de chemin de fer. Il lui eût fallu joindre les Pereire qu'Ambroise, lui-même, n'avait pu contacter.

C'est alors qu'une chance inattendue s'offrit à Hector. M. de Villemessant, qui venait de fonder un nouvel hebdomadaire, *Le Figaro*, soucieux d'attirer des lecteurs par des sujets inattendus, entendit parler de ce chemin de fer sous la Manche, convoqua Hector et lui offrit de présenter son projet.

Pour la première fois, Hector était convié à s'exprimer sur son travail, et dans une publication prestigieuse. Cette offre allait lui donner une étrange célébrité, mais en accentuant le caractère utopique de ses entreprises elle l'éloignerait encore plus des réalisations ponctuelles.

Sa manière d'écrire, avec quelque emphase due à son orgueil d'être incompris et moqué, ses convictions sans nuances, l'apostolat social dont il se prévalait, tout concourait à faire de lui l'architecte le plus singulier de son siècle, en même temps le plus décrié.

« Je viens soumettre avec confiance, écrivait-il dans *Le Figaro*, aux hommes éclairés de tous pays, à l'opinion publique, dans la plus large acception du mot, un projet qui, tout hardi qu'il puisse être, me paraît cependant offrir toutes les garanties désirables pour un travail aussi important... »

Il y avait du Jean-Jacques Rousseau dans Hector. Toute sa vie, il s'adressera « aux hommes éclairés de tous pays » qui ne l'écouteront guère. Pourtant, dans son article du *Figaro*, il donnait aussi les détails pratiques qui affirmaient la validité de son projet. La longueur des tubes : vingt et un miles anglais ou 33 789 mètres ; la dépense qui pourrait s'élever à vingt millions de francs (1 400 000 livres sterling) et il ajoutait que « les avantages de cette étude, qui mettrait l'Angleterre à une demi-heure du Continent, valent bien la dépense, alors surtout que l'on n'aurait plus à redouter les inconvénients si graves de la mer ».

Comme un télégraphe électrique sous-marin venait d'être posé dans la Manche, Hector soulignait que ce travail « si heureusement terminé » devait concourir à donner confiance dans l'exécution de son nouveau chemin de fer.

Hector terminait son article par ce paragraphe dans lequel il avait mis tout son sérieux, toute sa foi, mais dont le ton grandiloquent contribua à faire prendre son projet pour une vaste blague :

« J'ai foi dans le succès de l'entreprise que je propose, il me reste à faire partager ma conviction, j'espère que cette tâche ne sera pas insurmontable avec quelques démonstrations pratiques, avec le vif désir qui m'anime d'être utile dans mon passage en ce monde et surtout avec l'aide des hommes de bien et de progrès qui, je l'espère, donneront leur appui au projet que j'ai l'honneur de présenter. »

L'article d'Hector avait un grave défaut : il n'était pas illustré. Sa théorie n'en paraissait que plus gratuite. Or, les dessins d'Hector, toujours superbes, atteignaient là une dimension onirique extraordinaire.

Ses tubes étaient en effet amarrés par des filins reliés à des lanternons flottants éclairés par des phares dont les lumières diurnes et nocturnes seraient reportées par des plaques réfléchissantes dans l'intérieur plombé et émaillé des galeries souterraines. Ces tours coniques et ces îlots ronds et ajourés comme des corbeilles de fleurs traduisaient somptueusement la magie de cette technique qu'Hector voulait rendre sensible. Par ce rêve lumineux et coloré, Hector exprimait cette idéologie du progrès, cet éden du futur, dont il ne se départira jamais.

Hector, si absorbé par ses minutieux dessins, dérouté par la polémique que suscita ensuite l'article du *Figaro*, délaissait un peu trop Julie qui délaissait leur petit logement du quartier Latin. Le quartier Latin, il est vrai, perdait de son attrait. Le « gai Paris », comme disaient les étrangers attirés par l'Exposition universelle, se trouvait maintenant ailleurs, sur la rive droite où les fêtes succédaient aux fêtes. Julie y accourait, fascinée comme une libellule par toutes ces illuminations qui ponctuaient les inaugurations des quartiers neufs. Les bals masqués, costumés, les quadrilles, les flonflons, un nouveau Paris mû par cette fièvre d'enrichissement rapide dû aux spéculations boursières et immobilières agitait les esprits et les jambes.

Julie s'était fait des relations, dont elle ne parlait jamais à Hector. Elle avait sa propre vie, dont elle savait que la futilité ne pourrait qu'agacer son amant. Lorsque la monotonie travailleuse du logement de la montagne Sainte-Geneviève lui pesait trop, elle disparaissait pour quelques jours, pour quelques semaines. Puis revenait vite, car Hector lui manquait.

Ses relations lui valurent d'être invitée à l'accueil de la jeune reine Victoria sur le boulevard de Sébastopol. Le yacht de la reine arrivé trop tard à Boulogne, la souveraine ne parvint que dans la nuit à la gare de l'Est. La réception aux lampions n'en fut que plus joyeuse. Faute d'immeubles terminés sur le boulevard, on avait édifié des estrades de bois sur lesquelles s'étaient juchés les curieux. La reine et sa cour descendirent le boulevard en calèche et passèrent sous les arcs de triomphe dressés de la porte Saint-Denis à la Madeleine.

Lors du bal, quelques jours plus tard à l'Hôtel de Ville, Julie entendit des moqueurs parler du « tunnel sous la Manche ». Elle se dressa, altière, comme elle savait le faire, se donnant alors des allures de grande dame que sa beauté légitimait, et cracha comme un chat en colère :

– Vous parlez de ce que vous ne connaissez pas. On le construira un jour, ce tunnel, et vous vous disputerez pour en être actionnaires.

Ils avaient ri. Ils pensaient qu'elle plaisantait. Julie, ce soir-là, revint très triste au quartier Latin.

Invitée trois mois plus tard à une grande fête en l'honneur du roi Emmanuel de Piémont, elle refusa, s'en voulut de refuser, passa sa mauvaise humeur sur Hector, surpris.

Pendant un mois Hector fut à la mode. On ne parlait dans les soirées que de son tunnel sous la Manche. Les caricaturistes s'en donnaient à cœur joie. Ils imaginaient toutes sortes de catastrophes : une baleine s'introduisant dans le tube et dévorant les wagons, un navire coupant en deux la galerie envahie par les poissons. Hector, quant à lui, était représenté en dieu Neptune, en pêcheur à la ligne attrapant une locomotive, ou encore sur une échelle essayant d'agripper la Lune. Il n'y avait pas de jour que *Le Figaro* ne passât un écho sur le tunnel. Et les publications à vignettes : *Le Monde illustré*, *L'Univers illustré*, transformaient à leur gré les propos d'Hector, faisaient de son projet une fantasmagorie, où le fantastique s'alliait au drolatique.

Pendant un mois, Hector fut aussi illustre que le jeune Offenbach. Mais si l'empereur sollicita ce dernier pour qu'il représente *Les Deux Aveugles* aux Tuileries, personne n'invita Hector à venir s'expliquer sérieusement sur son travail.

La curiosité retomba. On ne parla plus du tunnel. Le pire c'est qu'Hector, avec cette publicité de mauvais aloi, ne recevait plus de ces modestes commandes qui lui permettaient de vivre. Il était devenu trop célèbre pour qu'on lui confie des sujets médiocres, dont il se contentait autrefois et qui ne le dérangeaient pas pour étudier ses projets ambitieux. Sollicitait-il cette riche clientèle pour laquelle il avait réalisé en association avec Ambroise de nombreuses serres, qu'il n'était pas reçu, ou bien on l'accueillait avec un sourire, dans le meilleur des cas sourire d'humour, dans le plus mauvais sourire de mépris.

La gêne s'établit dans le petit logement de la montagne Sainte-Geneviève. La crainte du concierge en raison du loyer impayé, les dettes chez le boulanger et l'épicier, Hector s'attendait à ce que Julie décampe... Bien au contraire, elle s'installa, ne sortit plus seule, entourant Hector d'une affection paisible, s'ingéniant à préparer des repas avec presque rien, retrouvant d'instinct les ressources de l'infortune connues si pitoyablement dans la plaine Monceau. Il semblait que la catastrophe qui atterrait Hector lui donnait une énergie, une débrouillardise, dont elle s'accommodait fort bien.

Puisqu'il n'avait rien à faire, puisque cette longue succession d'échecs le décourageait trop pour qu'il puisse entreprendre de nouveaux projets, Hector restait longtemps au lit, se levant tard, se couchant tôt, et Julie ne cachait pas son plaisir de cette vie lente où la vacuité échauffe le sensuel.

Hector ne franchissait plus les limites de son quartier. Le spectacle de ce nouveau Paris mis en œuvre par Haussmann le chagrinait trop. Non pas qu'il regrettât le Paris ancien, approuvant les mesures hygiéniques du préfet, mais la vision de l'énorme chantier qui bouleversait le cadastre, et dont il était exclu, l'affligeait profondément.

Paris ne sentait plus le chou pourri, comme du temps de sa jeunesse, mais le salpêtre et les plâtras. Des charrettes de moellons sillonnaient les rues, faisant d'innombrables détours, car nombre de voies demeuraient obstruées ou éventrées. Partout des immeubles, démolis à la pioche, montraient leurs carcasses béantes. Des tombereaux de gravats, tirés péniblement par des chevaux gris de poussière, se frayaient un difficile chemin dans la foule des ouvriers poussant des brouettes, hissant des poutres avec des treuils, sciant des planches, dépeçant à la hache des blocs de pierre. De temps en temps, des carrioles dans lesquelles s'entassait le mobilier des pauvres, chassés de leur domicile, gênaient, dans ces rues encombrées de maçons, de menuisiers, de charpentiers, de couvreurs. Elles se hâtaient d'aller ailleurs, au-delà des fortifications, où une ceinture de logements populaires se construisait avec les décombres du vieux Paris.

Ce Paris que l'on éventrait, que l'on remodelait, auquel on allait donner de nouveaux points de mire : un opéra, un hôtel-Dieu, une bibliothèque nationale, des gares, des grands magasins, des parcs, représentait une folie bien plus grande, bien plus aventureuse, bien plus dispendieuse que ce fameux tunnel sous la Manche qui, par comparaison, paraissait presque étriqué. Hector en venait à se reprocher d'avoir été trop modeste.

5.

Ce jour-là Julie, qui avait acheté à crédit des ailes de volaille, les faisait cuire en ragoût. Elle chantonnait :

Les ailes de poulet
On va les sucer
Les cuisses...

On frappa à la porte. Un homme tout de noir vêtu, qui tenait à la main son haut-de-forme, entra dans la pièce.

– Tu es en deuil ? demanda Hector.

Ambroise Lagut ne releva pas l'ironie. Il feignit de ne pas s'apercevoir du dénuement du logis, car on avait dû vendre, pour durer, tout ce qui était monnayable, ou l'engager au mont-de-piété. Il posa sur la commode son chapeau, s'assit sur un escabeau.

– Je ne t'ai pas donné de mes nouvelles. C'est vrai. J'aurais dû. Peut-être l'aurais-tu mal pris.

– Toujours marié ?

– Oui. Bientôt père de famille. Sans doute n'as-tu

pas entendu parler de mes travaux. Ils ne sont pas aussi spectaculaires que les tiens...

– Mes travaux ne sont rien. Une architecture non construite n'existe pas.

– Mais si, elle existe. D'une autre manière. Ce Claude Nicolas Ledoux, que tu évoquais si souvent, existe-t-il pour ses octrois qui, bientôt, seront tous détruits par Haussmann, ou par son projet de ville industrielle qui n'est pourtant qu'une architecture de papier ? Je t'admire toujours autant, Hector. Seulement je n'avais pas la force de continuer à lutter contre tout le monde. J'étais plus lié à ma famille, à ma classe, que je ne le pensais. Ils m'ont récupéré. Je ne regrette rien. Sinon ton amitié.

Hector restait silencieux. Julie, sur le feu, tournait la sauce du ragoût et regardait les deux hommes à la dérobée.

– J'ai beaucoup de commandes, reprit Ambroise. Rien de bien extraordinaire. Mon atelier tourne comme une petite usine, avec dix collaborateurs. Je ne t'offre pas de me rejoindre. Tu casserais la baraque. Je te connais. Non, mais cela me chagrine de te savoir inemployé.

– Comment le sais-tu ?

– Tout se sait. Ton tunnel sous la Manche est une idée qui se réalisera. Peut-être pas telle que tu l'as dessinée, mais elle s'accomplira. Seulement tu ne seras plus là pour la mener à bien. J'enrage, oui, j'enrage de voir que Paris devient un chantier gigantesque et que tu n'y participes pas. Le baron Haussmann...

– Haussmann est baron, maintenant ?

– L'empereur l'a fait baron et sénateur. Il importait qu'il gagne sa place dans l'Institution. Ces messieurs de l'ancienne aristocratie et de la bourgeoisie nouvelle disaient qu'il n'était qu'un laquais parvenu. Ou un tambour-major. On ne pardonne rien à ceux qui ne sont pas du sérail. Tu l'as appris à tes dépens. L'empereur tient à Haussmann qui l'a bien aidé à se hisser au pouvoir. Donc il lui a donné les titres qui lui manquaient.

– Sans doute y a-t-il aussi des titres qui me manquent ?

– Tu peux les conquérir, ces titres. Tu as suffisamment de force pour y accéder. Plus que quiconque. Il suffirait que tu regardes la réalité en face. Un tunnel sous la Manche, ce n'est pas urgent. Construire un Paris sain, beau, pratique, comme l'ont entrepris l'empereur et son préfet, voilà une tâche urgente, et tu peux, tu dois, y prendre ta place.

» Toi qui voulais construire pour le peuple, pourquoi ne participes-tu pas à l'entreprise du gouvernement ? L'empereur reste fidèle à ses idées sociales. Il veut construire des cités ouvrières dans tous les quartiers, après y avoir détruit les logements insalubres. La cité Napoléon, sur les hauteurs de la rue Rochechouart, logera cinq cents familles ouvrières. Comment, toi, peux-tu rester insensible à un tel effort ? Comment peux-tu rester inactif ? Je ne vois pas de plans cotés sur ta table, comme autrefois. Rien. Pas un rouleau le long des murs. Rien. Alors que le bois de Boulogne, qui était un coupe-gorge, s'aménage en promenades. À Issy, au Raincy, à Neuilly, le gouvernement achète les châteaux et leurs parcs. Tout cela sera loti en habitations à bon marché. Et toi, assis sur ta chaise, tu attends quoi ? On a recensé à Paris vingt mille maisons qui n'ont d'autre ouverture que la porte, avec seulement un trou pour l'aération. La bourgeoisie fuit le quartier de l'Hôtel de Ville où commencent toujours les épidémies de choléra. La rue Brisemiche, la rue du Renard, toutes les ruelles autour de Notre-Dame de Paris sont des agglomérats de taudis. Eh bien, tout cela sera rasé et l'on y construira des logements neufs. Et toi, tu resterais indifférent devant cette révolution...

Hector haussa les épaules, boudeur.

– Oui, reprit Ambroise avec véhémence, c'est bien d'une révolution qu'il s'agit. Une révolution constructive. Et toi tu resterais indifférent...

– Je sais, dit Hector, on parle d'enlever l'obélisque de Louqsor qui gêne la circulation. Des spéculateurs offrent des ponts d'or pour acheter les Champs-Élysées. Le jardin des Tuileries, qui ne sert à rien, sera-t-il vendu comme terrain vague ? Non, je ne mettrai pas les pieds là-dedans, il y a trop de boue.

– J'aurais pu te rapprocher d'Haussmann, mais tu

fais le difficile. Et Pereire, alors ? Pereire, j'ai fini par le glisser dans ma poche.

Au nom de Pereire, Hector tressaillit. Pereire le saint-simonien... Pereire qui avait obtenu sous Louis-Philippe la première concession de chemin de fer...

Ambroise eut un petit rire moqueur :

– Ah, ce que tu m'as bassiné, avec ton chemin de fer. Eh bien ! là aussi tu raisonnais juste. L'épopée du chemin de fer est en route. Pourquoi n'y participes-tu pas ?

– Ne sois pas cruel.

– Il y a une affaire à saisir. Le chemin de fer traverse maintenant trop de routes, de villages, on doit protéger les voies à l'arrivée des trains. Édifier des barrières pour empêcher les véhicules, les troupeaux, les chemineaux, d'être écrasés par les locomotives qui vont de plus en plus vite. Des employés seront chargés de fermer ces barrières à l'approche des convois. Il sera indispensable de les loger dans des maisonnettes situées à proximité immédiate de la voie ferrée. Ces maisonnettes, Pereire les veut toutes pareilles pour qu'elles constituent, en elles-mêmes, un signal. Et il en faut des milliers.

Hector s'était levé. Il regardait Ambroise avec intensité. Il tremblait un peu.

– Un prototype de maisons industrialisables, reprit Ambroise, exécutées rapidement, à bon marché. Tu es capable de faire ça mieux que quiconque.

– Tu me proposes une nouvelle association ?

– Non. J'ai mes affaires. Différentes de celle-là. Je peux te présenter aux frères Pereire et tu te débrouilles.

Ambroise reprit son chapeau, tendit sa carte à Hector, envoya du bout des doigts un baiser à Julie et disparut.

Hector ressassait la proposition d'Ambroise, la tournait dans tous les sens, essayait d'y voir un piège caché. L'appât, c'était bien sûr les Pereire. Et derrière les Pereire se dissimulaient l'empereur et sa clique, sans lesquels les Pereire demeureraient impuissants. Travailler pour les Pereire, ne serait-ce pas, indirectement, se rallier à Napoléon III ? Hector se révoltait à cette idée. Mais que faire ? Il voulait être l'architecte du peuple, mais comment construire pour le peuple sans obtenir l'appui de ceux qui détiennent les finances, les terrains et le pouvoir de décision ?

Julie le poussait à accepter. Leurs économies rongées, accablés de dettes. Le propriétaire ne consentirait pas à allonger indéfiniment le crédit. Où logeraient-ils ? Après leur dernière agape aux ailes de volaille, Julie avait porté au mont-de-piété les quelques bijoux offerts par Hector. Que risquait-il à renouer avec Ambroise, qui s'entremettait cordialement ?

Il alla rôder dans ce faubourg Saint-Germain qui échappait aux démolitions d'Haussmann. Au milieu de la rue de Lille, si calme, avec son ancien hôtel d'Eugène de Beauharnais devenu ambassade de Prusse, avec l'hôtel de Salm, ambassade de Suède du temps du baron de Staël, aujourd'hui affecté à la grande chancellerie de la Légion d'honneur, Hector s'attarda à regarder les macarons, les ferronneries, les pilastres à chapiteaux, les balcons, les frises, les cadrans solaires de ces fastueuses maisons construites cent ou deux cents ans plus tôt. L'architecture du passé proche était pour lui une énigme. Il ne pensait, il ne voyait qu'une architecture de l'avenir que personne ne discernait.

Comment Ambroise avait-il pu, en si peu de temps, s'installer dans ce riche quartier, dévolu à l'ancienne aristocratie ? Il se trouvait devant l'immeuble où Ambroise avait installé son atelier et sans doute son appartement. Le portail était ouvert. Il entra dans la cour. Un valet se précipita pour lui demander ce qu'il cherchait. Au nom d'Ambroise Lagut, il le conduisit vers le fond de la cour et l'introduisit dans une galerie vitrée ornée de boiseries en palissandre. Un autre valet l'accueillit dans une vaste pièce où des dessinateurs travaillaient silencieusement sur de larges tables.

Ambroise vint à sa rencontre, affable. Hector le suivit dans ce qui devait être son bureau, y remarqua un paysage somptueux, au milieu d'un bric-à-brac de bronzes et d'aquarelles encadrées de dorures.

– Courbet, n'est-ce pas ?

– Évidemment. Notre Courbet de la brasserie Andler. Un paysage d'Ornans.

– Cet hôtel, dans ce quartier huppé... Toi, si riche, si vite... Je ne comprends pas...

– D'abord se faire des relations. Je t'accorde que sans ma famille et celle de ma femme, j'aurais été bien handicapé. Toutefois, les relations, il faut savoir les saisir, les cultiver, aller de l'une à l'autre en montant plus haut. Chacune est le gradin d'une échelle. J'ai fini par arriver aux frères Pereire et, des Pereire, jusqu'à Morny.

– Morny !

Hector ne put réprimer sa répugnance. Ce demi-frère adultérin de Napoléon III, en réalité l'homme fort du régime impérial, celui qui avait organisé le coup d'État du 2 décembre, manigancé le mariage de l'empereur avec Eugénie de Montijo, tirait les ficelles à la fois de la politique et des finances. Sans l'appui de Morny, qui en dégagea des bénéfices énormes, les Pereire seraient restés dans leur humble condition. Le Crédit mobilier des frères Pereire lui devait son succès. C'est Morny qui avait conseillé à l'empereur de se détacher des Rothschild au profit des Pereire et de s'engager avec eux dans la réalisation intensive des lignes de chemin de fer.

– Morny, reprit Hector, tu n'as pas eu peur de vendre ton âme au diable ?

– Seul le diable accorde quelques valeurs monétaires aux âmes.

– Je ne travaillerai pas pour Morny.

– Personne ne te le demandera. Tu ne verras même pas les Pereire. Il te suffira de rencontrer les ingénieurs qu'ils emploient et de les convaincre que tu possèdes la bonne solution pour construire rapidement, et à bon marché, des maisonnettes de gardes-barrières. Si tu réussis cela, et il n'y a aucune raison pour que tu ne réussisses pas, tout te sera alors ouvert : les gares, les usines, les entrepôts. Il leur faut du fer et du verre…

– Pourquoi ne profites-tu pas de ta position pour rafler ces commandes que tu m'offres ?

– J'ai construit plusieurs gares. Maintenant je m'attaque aux grands magasins. C'est infiniment plus juteux. Ce que nous avons expérimenté ensemble, en pure perte, nos projets de grandes halles destinées aux Expositions universelles, me sert infiniment. Rien de tel qu'une architecture métallique pour ces grands magasins qui, bientôt, se répandront partout. Du fer et du verre. De larges portées qui ne gênent pas les étalages ; des balcons, des galeries, un éclairage naturel par de larges baies vitrées. Des verrières, des glaces, dans lesquelles les clientes s'admirent. Il s'est ouvert un bazar près de l'Hôtel de Ville, un vaste entrepôt de literie à l'angle de la rue du Temple : « Au Colosse de Rhodes ». Je suis au mieux avec Boucicaut du « Bon Marché », dont les magasins auront une progression foudroyante. Mais oui… Ne te moque pas. Un as, Boucicaut !

C'est toi qui aurais dû t'entendre avec ces anciens calicots qui ont fait fortune, qui viennent tous du peuple et qui, comme toi, sont des voyants. Colporteurs, commis, ils ont gravi tous les échelons du commerce. Toi, tu imaginais cette architecture de fer et de verre qu'ils ont adoptée sans te connaître. Eux, ils imaginaient de nouvelles méthodes de commerce : des bénéfices réduits, la suppression du marchandage par l'affichage des prix, l'entrée libre dans les magasins, la possibilité des rendus si pas satisfait. Ils ont compris la puissance des femmes qui s'émancipent et que le second Empire cajole. On dit que Morny est un homme à femmes. C'est vrai. Le second Empire, grâce à lui, est un Empire à femmes. Alors, les grands magasins de ces anciens commis, eux aussi, plus modestement, mais aussi efficacement hommes à femmes, sont devenus les temples, les cathédrales d'une clientèle féminine à l'affût des nouveautés. Toilettes, parures, étoffes soyeuses, lingeries, bijouterie, les grands magasins sont élevés à la gloire de la femme et pour son plus grand plaisir.

– Et tu masques l'architecture métallique de tes bazars par un décor de pierre ?

– Oui, mon cher. J'ai compris, après l'Exposition de 1855 et le refus par l'empereur de notre étude, que nous ne convaincrions pas. Les nudités de Courbet choquent, elles aussi. Après tout, on ne voit pas les baleines des crinolines, ni les squelettes des dames que nous aimons. De la chair, oui, de la chair, notre architecture manquait de chair. Et de tendre peau.

Hector feuilleta quelques plans enroulés, posés sur des consoles. Des esquisses, dans lesquelles il reconnaissait la patte d'Ambroise, lui montraient une fois de plus l'habileté de son ancien associé et son astuce à mettre en valeur des détails souvent sans importance qui retenaient l'attention du client. Ses magasins auraient de la gueule ! Mais que de concessions au goût bourgeois ! Que d'empâtements, de boursouflures. La musique d'Offenbach, qu'il avait oubliée, lui revint soudain à la mémoire. Et le plaisir trouble que Julie ressentait à l'entendre. Une architecture pour les femmes, disait Ambroise. Hector pensait : une architecture de cocottes, oui !

– Je t'ai préparé une lettre pour le bureau des Pereire. La voici. Prends-la. Tu peux la déchirer. Mais j'aimerais bien que tu réussisses. Il ne tient qu'à toi.

Hector avait tant espéré rencontrer les frères Pereire, les convaincre que l'architecture qu'il concevait s'adaptait parfaitement à leur entreprise ! Avec eux, il pourrait mener à bien l'œuvre qui le hantait. Et maintenant que cette possibilité se présentait, il hésitait. Les Pereire, eux aussi, s'étaient ralliés à l'empereur. Pire, ils s'étaient acoquinés à Louis Napoléon en évinçant les Rothschild suspects de demeurer fidèles à la monarchie.

Julie s'impatientait, lui rappelait la situation catastrophique dans laquelle ils se trouvaient, cette chance unique que lui offrait Ambroise :

– Je sais bien, tu te dis que tu n'as pas de chance...

– Ce n'est pas vrai. La chance de t'avoir rencontrée.

– C'est peut-être, au contraire, ta malchance. Tu t'endors avec moi. Tu t'endors dans la douceur du lit. Tu en oublies de lutter. La volupté ne te vaut rien. Elle n'est bonne que pour les rentiers, les oisifs ; ceux qui ont des domestiques ; ceux qui ne savent quoi faire d'autre de leur sainte journée que d'aller à la chasse aux femmes et de les peloter à loisir. Tu as la veine énorme, Hector, d'avoir du génie...

– Qu'en sais-tu ?

– Bien sûr, je ne suis pas savante. Je devine. J'écoute. Ambroise t'admire. Courbet t'admire. Et pour que Gustave admire quelqu'un, il faut vraiment que ce soit un génie ! Tu n'es ni inconnu ni oublié. Mais tu t'enfermes dans ton orgueil. Tu laisses passer les faveurs qui te sont offertes. J'ai peur que tu prennes plaisir à ce que tu appelles ta malchance, que tu la couves, que tu la caresses comme on gratte les croûtes d'une plaie.

– Que tu parles adroitement, Julie ! Et avec quelle aisance ! Tu as su tirer de Courbet le meilleur de ce qu'il pouvait t'apporter. Quand tu disparais, où vas-tu chercher ce qui, à chaque fois, t'affine un peu plus, te rend plus belle, plus désirable...

Il hésita :

– ... et plus intelligente ? On pourrait croire que tu ne cultives que ta beauté, mais non. Je crois que tu te sers de ta beauté pour enrichir ton esprit. De quelle manière, je m'interroge, mais je ne t'interroge pas. C'est ton affaire, qui te réussit fort bien.

Julie eut ce sourire narquois qui lui faisait briller les yeux et lui donnait tant de charme :

– Crois-en ce que tu appelles mon intelligence et qui n'est que de la perspicacité. N'attends pas plus longtemps pour te rendre au bureau des Pereire. Cours-y. La même chance ne passe jamais deux fois.

La lettre d'Ambroise introduisit immédiatement Hector dans le bureau d'un ingénieur qui le reçut avec une grande cordialité. Il connaissait fort bien le projet pour les Halles et lui parla avec beaucoup de pertinence du tunnel sous la Manche.

– Comme la plupart de mes collègues, ici, je suis polytechnicien et saint-simonien. Nous avons beaucoup aimé votre idée de relier la France et l'Angleterre par une voie ferrée sous-marine. Tout le monde a pris votre projet très au sérieux. Nous l'avons d'ailleurs étudié, en en soulignant à la fois les qualités et les défauts. M. Isaac Pereire, lui-même, s'est montré intéressé. Seulement les autorités, le public, ne sont pas prêts. Trop tôt ! Vous rêvez de relier la France et l'Angleterre, c'est bien, mais c'est peu au regard de ce que nous, les saint-simoniens, rêvons d'accomplir. Relier l'Europe et l'Asie en creusant un canal entre l'Égypte et l'Arabie. Plus besoin pour la marine de contourner l'Afrique. C'est notre grande idée. Elle se réalisera. La vôtre aussi.

» Nous sommes faits pour nous entendre. Vous auriez dû venir nous voir plus tôt. M. Lagut nous a dit que vous pourriez nous fournir un prototype pour nos maisons de gardes-barrières. Un travail bien indigne de votre talent. Où il y a gros à gagner.

Hector amorça un geste exprimant son indifférence, ou son mépris, devant ces considérations mercantiles. Mais il se retint. Ou plutôt, il eut la sensation que Julie retenait son bras.

L'ingénieur l'entraîna dans plusieurs pièces de ce grand hôtel particulier transformé en bureaux, où des dessinateurs planchaient sur des études auxquelles il jeta, en passant, un regard furtif. Il lui montra, épinglés aux murs, des plans minutieux de halls de gares avec leurs verrières aux charpentes de fer. Des maquettes de locomotives et de wagons étaient posées sur des meubles de rangement, comme des sculptures.

Aucune statue, se disait Hector, émerveillé, n'a plus de grâce que ces machines, ni plus de puissance épique. Il était là dans l'antre du progrès. Jamais il ne s'était senti plus à l'aise qu'en compagnie de cet ingénieur si courtois. Julie avait raison : cette fois-ci il ne fallait pas qu'il laisse passer sa chance. Il promit d'étudier très vite le prototype de maisonnette pour cette nouvelle espèce de prolétaire qui serait lié à sa maison comme l'escargot à sa coquille, une maison d'ouvrier, inédite, qui deviendrait un modèle populaire. Quoi de plus excitant !

Hector jeta fébrilement sur le papier toute une succession d'études, éliminant très vite les projets fer-verre qui lui vinrent spontanément. Une maisonnette située si près des voies ferrées devait bénéficier d'une protection acoustique. À la recherche d'un module usinable, il rencontra un matériau idéal, traditionnel, la brique. La brique qui s'empile, qui, dans la simplicité de son montage, ne demande pas une main-d'œuvre qualifiée et dont la surface naturellement colorée peut faire admettre la suppression d'un décor ajouté. Il offrit ainsi un beau cube de quarante mètres carrés, se divisant en deux pièces, plus une cuisine, et disposant d'un jardinet. Les employés subalternes des chemins de fer, pour la plupart paysans déracinés, retrouveraient ainsi un minuscule lopin de terre et ne seraient privés ni d'air ni de soleil.

Cette maisonnette d'une si parfaite simplicité prenait valeur de manifeste. Manifeste contre ce que l'on appelait « la féroce trinité » : alcoolisme, tuberculose, syphilis. Hector voyait ses maisons, ponctuant le tracé des lignes de chemin de fer, se peupler de familles heureuses, exemples pour la classe ouvrière.

Les ingénieurs des Pereire reçurent son étude avec enthousiasme. Ils partageaient son utopie. Le modèle de maisons ouvrières qu'ils allaient diffuser serait une réponse aux taudis urbains. Ils n'eurent aucun mal à en convaincre les Pereire. Les maisons de gardes-barrières furent mises en chantier sur tout le territoire. La modicité de leur surface, la servilité de leur utilisation réduisirent considérablement leur portée publicitaire. Néanmoins, Hector, grâce à elles, sortit du ghetto de l'architecture de papier. L'argent gagné permit de payer les dettes. Bien au-delà. Jamais Hector n'avait disposé de finances aussi confortables. Julie put récupérer ses bijoux au mont-de-piété et, un soir, au dîner, elle eut la surprise de trouver dans son assiette, enveloppé dans un mouchoir de soie, un rang de perles. C'était son vingt-sixième anniversaire.

Une autre commande arriva bientôt, plus spectaculaire. Celle d'un familistère, c'est-à-dire un immeuble collectif destiné à des familles ouvrières, bénéficiant d'un maximum de confort pour un prix modéré et qui, plus encore que les maisons de gardes-barrières, servirait de modèle pour les quartiers populaires du Paris rénové.

Hector, dans une grande exaltation, conçut deux bâtiments parallèles, reliés par une cour vitrée traversée de passerelles. Il pouvait enfin utiliser toutes les ressources de l'architecture métallique et du verre dans un bâtiment résidentiel où il réintroduisait de nouveau, avec brio, des murs de brique. Chacune des quatre cents familles de ce familistère disposerait de deux pièces, bien aérées, d'un fourneau pour la cuisine, et de locaux collectifs : bains-douches, lavoir, service médical, nourricerie, pouponnat, bambinat. Hector ponctuait sa réalisation d'un de ces manifestes dont il abusera toute sa vie et qui seront surtout la cause des animosités dont il souffrira. Son architecture, suffisamment éloquente par elle-même, pouvait se passer de tout commentaire. Mais la succession de ses échecs lui donnant la certitude d'être incompris et rejeté, il croyait indispensable de proclamer lui-même les mérites de son travail et son originalité. Ce qui, bien entendu, déplaisait.

De son familistère, devenu très vite une curiosité, il disait qu'il s'agissait de rien de moins que du palais social de l'avenir. Mettre la demeure de l'ouvrier dans un palais, construire la maison du peuple, faire gérer cet immeuble d'un type nouveau par ses locataires, tendait à réorganiser la société par le bas.

Cette profession de foi alarma, affola, terrifia. Réorganiser la société par le bas, sans l'État, en créant une association de fédérations libres, c'était du proudhonisme tout craché. D'ailleurs Proudhon ne tarda pas à approuver le texte d'Hector et proclama bien haut que l'architecte du peuple était né.

Hector exultait.

Vint le scandale des *Demoiselles des bords de la Seine*. Courbet avait exposé, au Salon de 1857, sous ce titre, un de ses plus savoureux tableaux. On y voyait deux belles filles, plantureuses, comme les aimait Courbet, mollement étendues dans l'herbe, au bord de l'eau, sous un grand arbre au feuillage bien vert. Le plus étrange, c'est que ces deux belles filles, extrêmement vêtues, enjuponnées jusqu'aux chevilles, furent considérées comme excessivement impudiques, alors que le Salon montrait une abondance de nus équivoques. Il y avait évidemment dans cette scène champêtre une sensualité populaire qui, parce qu'elle était populaire, paraissait de mauvais goût. Pourtant les vêtements, le bouquet, le paysage lui-même, quel morceau de peinture éblouissant ! On aurait pu dire aussi, en comparant cette peinture aux figures étiolées des scènes académiques, quelle santé !

Avec une unanimité rare, la presse s'en prit à ces *Demoiselles* en des termes invraisemblables. On lisait par exemple dans *Le Figaro* : « Décidément, Courbet ne comprend rien aux femmes... C'est une double insulte à Paris et au peuple... Il se moque de lui-même, des autres et de son art... »

Puisque Hector avait eu les honneurs du journal de M. de Villemessant, il lui envoya une lettre rageuse, défendant violemment Courbet, et au bord de l'insulte.

La réponse ne tarda pas. Un article féroce contre

le familistère, « ouvrage pernicieux... anarchiste... destiné à saper l'autorité de l'État, etc. », entreprit de démolir Hector. L'article alla même jusqu'à lui reprocher d'avoir trompé jadis le journal en faisant passer pour un projet sérieux une plaisanterie au sujet d'un soi-disant tunnel sous la Manche.

Ambroise Lagut, après avoir introduit Hector chez les Pereire, s'était discrètement effacé. Les maladresses de son ami le firent réapparaître.

– Pourquoi te fâcher avec Villemessant, qui t'était acquis ? Et juste au moment où *Le Figaro* devient bihebdomadaire et passe de quinze cents à dix mille exemplaires. Ce n'est un secret pour personne que *Le Figaro* déteste le réalisme. Pourquoi te mêler de défendre Courbet qui se défend très bien tout seul ? Ton familistère est un succès, bien mérité, mais tu n'aurais pas dû proclamer si haut ton proudhonisme. Il allait de soi. Inutile de le souligner.

– Devrais-je avoir honte de mes idées ? N'ont-elles pas été approuvées puisque l'on m'a permis de construire la maison du peuple ?

– Et qui te l'a permis ?

Hector demeura perplexe. Il avait reçu la commande par l'intermédiaire des ingénieurs du bureau des Pereire, dans lesquels il avait la plus grande confiance. Il ne cherchait pas plus loin.

– Voyons, Hector, réveille-toi ! Sans l'accord de l'empereur, tu n'aurais jamais pu réaliser ce familistère. Haussmann a d'autres chats à fouetter que de s'occuper d'un habitat pour les ouvriers. Mais l'empereur, quoi qu'on en dise, aime le peuple. C'est sa faiblesse, que lui reprochent les intrigants qui l'entourent et qui, en réalité, mènent l'État. M. de Morny m'a raconté, en souriant de commisération, que l'empereur se montre souvent affligé au souvenir des morts du 2 décembre. C'est sa hantise. Le regret de son règne.

– Quoi ! s'écria Hector, tu reçois les confidences de Morny ! Jusqu'où n'iras-tu pas ?

– Autant te le dire. Sans Morny tu n'aurais jamais pu construire le familistère. C'est lui qui a obtenu l'autorisation de l'empereur en passant par-dessus la tête d'Haussmann.

– Pourquoi as-tu fait ça ? Pourquoi t'occupes-tu de moi ? Je ne t'ai rien demandé.

– Je vais t'étonner encore plus, mais je dois quand même t'enlever la taie qui t'obscurcit les yeux. C'est moi qui ai pensé pour toi aux Pereire. C'est Courbet qui a pensé pour toi à Morny.

– Courbet ?

– Depuis cinq ans, Morny est un protecteur occulte de Courbet. Au Salon de 1852, il lui a acheté *Les Demoiselles de village*. Tu te souviens des trois sœurs de notre ami, représentées en robe d'été, dans un vallon d'Ornans ? Cette superbe harmonie champêtre, taxée de vulgarité. Morny, homme de goût, apprécie ton caractère. Il est bien le seul. Le seul avec moi. Avec son appui, ta carrière ne rencontrera plus d'obstacles. Villemessant lui-même te pardonnera ton faux pas.

– Jamais !

– Alors tu devras aussi te passer des Pereire. Morny est président de l'Association des magnats des chemins de fer. Il a mis en marche neuf cents kilomètres de voies ferrées, développé, parallèlement aux rails, un réseau de lignes de télégraphe électriques. Morny, tu le trouveras partout. Il protège Courbet. Il a lancé Offenbach. Il s'occupe même de la lecture puisqu'il accorde à Louis Hachette la concession des bibliothèques de gares. Il existe un mot qui est un véritable sésame : « Morny est dans l'affaire. » Si Morny est dans l'affaire, tout marche. S'il n'y est pas, tout rate. Toi-même, à ton insu, pour les maisons de gardes-barrières et pour le familistère, tu étais « dans l'affaire » de Morny. Et pour toi, comme pour moi, tout a marché. Si tu te retires, tu te condamnes à mort.

– Je me retirerai.

– Tu es fou.

– Tu me l'as déjà dit.

– Adieu, Hector, nos chemins ne se rencontreront plus.

Il s'éloigna, retourna sur ses pas, hésita :

– Si je suis revenu te voir, si je t'ai proposé de te faire rencontrer le bureau des Pereire, c'est parce que Julie m'avait supplié de le faire. Oui, vraiment, tu es fou !

6.

EN se retirant de la vie professionnelle active, Hector retomba dans ses rêves. Finalement, il se reprochait ses concessions, aussi bien pour les maisons de gardes-barrières que pour le familistère. En utilisant la brique, il trahissait le métal. Sans plus tarder, il se lança dans une étude très poussée d'un habitat qui ne ferait appel qu'au fer, à la fonte, à la tôle.

Ses réalisations lui avaient valu de confortables honoraires. Comme il n'avait pas quitté son modeste logement, comme son train de vie était resté le même, plus proche de celui d'un étudiant que d'un professionnel, il se croyait riche. En tout cas il pouvait, pendant un laps de temps qu'il se refusait à compter, se consacrer à la recherche sans se préoccuper de rentabilité immédiate.

Mais si Hector, dans sa succession d'échecs, avait fait rire, sa commande par les frères Pereire, la protection de Morny donnée pour le familistère, ces premières réussites commerciales, sociales, professionnelles inquiétèrent ses confrères. Après les avoir agacés, il suscita leur jalousie et bientôt leur haine.

La multiplication des maisons de gardes-barrières, qui marquaient un si grand progrès sur le taudis, déclencha la fureur des propriétaires de logements populaires. Les maisons pour les plus pauvres étaient celles qui rapportaient le plus. Jusqu'à douze pour cent. À Monceau, près du mur d'octroi, un marchand de vins avait bricolé quarante cabanons, en plâtre, sans fenêtre (la porte devait rester ouverte pour l'éclairage), sans cheminée, avec pour toute couverture du papier goudronné. Ces taudis, loués deux francs cinquante par semaine, payables tous les dimanches, avaient particulièrement révolté Hector lorsque Julie l'avait promené dans la plaine Monceau de son enfance.

Partout, dans Paris, le propriétaire, qui recevait le surnom de Monsieur Vautour, dépeçait les immeubles non encore détruits par Haussmann, pour les remanier en boîtes à loyers. Au-dessus des écuries, les anciennes chambres des palefreniers se louaient aux familles arrivées de province et auxquelles l'odeur du cheval n'était pas trop dérangeante. On louait les caves, seulement éclairées par des soupiraux, les greniers, les entresols. On s'efforçait de réduire la hauteur des plafonds, la largeur des pièces. L'afflux était si grand d'émigrés venant d'Auvergne, de Bretagne, la plupart illettrés et parlant difficilement le français, que tout local vide ne le restait pas longtemps. Les grands travaux d'Haussmann demandaient une main-d'œuvre énorme, puisée dans les provinces. En déferlant sur Paris, ces nouveaux ouvriers, qu'Haussmann traitait avec dédain de « nomades », demeuraient des marginaux, en proie à toutes les infortunes.

C'est à eux que pensait Hector, toujours obsédé par son idéal d'un habitat populaire confortable, hygiénique, rapidement monté avec les matériaux usinables du siècle.

Outre les serres, les cirques lui paraissaient des modèles de structures légères, démontables, dynamiques. Il emmenait souvent Julie aux spectacles des trois grands cirques de Paris : celui des Champs-Élysées, celui des Filles-du-Calvaire et le Cirque Napoléon récemment construit non loin de la porte Saint-Martin. Alors que Julie applaudissait aux clowns, aux acrobates, aux dompteurs, Hector, lui, ne remarquait que les cintres avec leurs minuscules poutrelles, la légèreté du toit. Seuls les trapézistes le tiraient de ses hypothèses, car eux-mêmes décrivaient des figures géométriques en s'élançant dans l'espace.

Dans son logement-atelier, Hector travaillait à son nouveau prototype. Comme pour le tunnel sous la Manche, il s'appliquait à relever un défi, avec quelque goût pour la provocation.

Ce timide, qui avait peur de la foule (et particulièrement de la foule de ces grands magasins qui séduisaient tant Julie, comme la plupart des autres femmes), cette foule qu'il savait crédule, manipulable pour toutes les élections, comme l'avaient prouvé à la fois la nomination du prince-président et le plébiscite, ce solitaire qui n'aimait que sa solitude, devenait téméraire dès qu'il s'attaquait à un projet. « S'attaquait » est bien le mot. En s'attaquant à un problème d'architecture, il s'attaquait à la société tout entière. Chacun de ses projets était en fait un cheval de Troie qui s'avançait vers elle pour la renverser. Le propos n'était pas aussi clair qu'il y paraît ici. On le recevait néanmoins comme une menace confuse. Les architectes ne pardonnaient pas à Hector de ridiculiser leur fonction et de tendre à la rendre obsolète. Les spéculateurs se rendaient de plus en plus compte qu'il s'en prenait à leurs coffres-forts. Hector fonçait, ravi, d'un enthousiasme candide.

La nouvelle esquisse d'Hector multipliait à la fois les difficultés de conception pour lui-même et les défis pour les autres, pour tous les autres. N'imaginait-il pas en effet d'étudier un prototype de maison portative, incombustible, agrandissable ? Maison évidemment entièrement métallique : piliers en fonte ; plancher et couverture en acier plié ; portes, fenêtres, châssis, persiennes, placards en tôle d'acier.

Dans son souci de confort et d'hygiène, Hector proposait également un mobilier facile à nettoyer et incassable : cheminée, poêle, fourneau et coffre en fonte ; évier, cuvette, réservoir en métal étamé ou émaillé. Aux quatre angles de la maison, des réservoirs recevaient les eaux pluviales, innovation séduisante en un temps où l'eau courante était inconnue dans les logements ordinaires.

La manière dont cette maison eût été agrandissable constituait sans doute l'élément le plus révolutionnaire. Pouvoir agrandir et modifier ultérieurement son logement, sans altérer les constructions primitives et sans troubler la jouissance des occupants, voilà qui n'avait jamais été envisagé. Hector imaginait la structure de sa maison comme les lettres d'un alphabet avec lesquelles on peut composer toutes sortes de discours.

Ne faisant pas de déchets (au contraire de la construction traditionnelle en maçonnerie dont les gravats étaient estimés au tiers des matériaux mis en œuvre), éliminant les échafaudages, Hector voulait associer industrialisation, confort, économie.

Il dessinait ses plans dans le plus grand secret. On l'avait déjà volé plusieurs fois. Il se méfiait. Il se méfiait même de Julie depuis qu'Ambroise lui avait révélé leur connivence pour le conduire chez les Pereire. Ainsi elle continuait à rencontrer Ambroise sans le lui dire. Il ressentait cette cachotterie comme une trahison. Tout en admettant que Julie n'avait accompli cette démarche que pour le sauver, que pour les sauver de l'indigence.

Hector regardait Julie qui le regardait. Tous les

deux s'observaient dans un silence pénible. Elle regardait Hector dont la tête émergeait de ses piles de papier démesurées, composées de feuilles qu'il cousait ensemble, afin de donner à ses plans l'ampleur voulue. Il les surchargeait de corrections, d'additifs, d'indications manuscrites. Julie le regardait avec cette tendresse inquiète portée à un enfant malade. Et lui la regardait à la dérobée, se reprochant de ne pas être plus disponible pour elle, absorbé, englouti une nouvelle fois dans le tourbillon de son utopie.

Ils ne se parlaient plus guère, comme s'ils avaient peur de s'avouer ce qu'ils n'osaient dire.

Un soir pourtant, Julie :

– Quand je disparaissais pour quelques jours, pour quelques semaines, j'étais angoissée par la peur de te retrouver trop malheureux, trop triste. Je suis revenue souvent en courant, parce que je te voyais malade de m'avoir perdue. Et tu ne disais rien. Tu ne me reprochais rien. Tu étais impassible. J'avais l'impression que tu ne t'étais pas aperçu de mon absence. Maintenant je pense que tu ne t'aperçois plus de ma présence.

Hector parut se réveiller brusquement :

– Ta présence, ta présence, balbutia-t-il, si je ne la discerne plus c'est qu'elle est tellement incluse en moi. Nous sommes tellement soudés l'un à l'autre que, même loin de moi, je te sens toute proche. Je n'imagine pas ma vie sans toi. Sans doute devrais-je te l'affirmer avec plus de gesticulations. Te le crier. Tu sais que je suis peu démonstratif. Je crois toujours que l'on entend ce que je pense. Ce qui me dispense de parler. Je ne te parle pas assez. Mais si tu n'entends plus ce que je pense c'est que quelque chose s'est cassé. Avant, nous n'avions pas besoin de nous parler.

– J'étouffe, dans ce logement trop étroit. Pourquoi n'as-tu pas quitté ce quartier de Mimi Pinson ? Les temps ne sont plus à la bohème. Je t'aime plus que je n'aimerai jamais aucun homme, Hector, je le sais. Je le sais et je ne comprends pas pourquoi. Je ne comprends pas pourquoi je suis restée si longtemps avec toi. Sinon parce que je t'aime plus que quiconque. Mais je sens que je m'étiole. Je serai vieille, bientôt, et tout ce qui brille, dans la ville, m'attire. Tu ne sors plus. Tu passes ton temps, tout ton temps, avec ce programme de maison impossible...

– Pas impossible. Tout à fait réaliste.

– Pas impossible pour toi, mais impossible pour ceux qui te jugeront. Une fois de plus. Après avoir rencontré les ingénieurs des Pereire, tu allais de réussite en réussite. Tu es bâti pour réussir et tu t'ingénies à tout faire échouer.

Hector voulut dire qu'il savait que Julie s'était entremise auprès d'Ambroise pour lui décrocher ses premières commandes réalisées, mais il se retint. Les secrets, les non-dits, les suppositions, les dérobades, font partie du langage subtil de l'amour. Il doit rester du flou dans les rapports amoureux et un désordre de draps froissés.

– Je réussirai, dit Hector, avec une conviction telle que Julie fut un peu déconcertée.

Elle se reprit très vite :

– Toi et moi nous avons une revanche à prendre. J'ai compris que nous ne la prendrions pas ensemble. Je réussirai aussi à ma manière, mon tendre, et je t'aiderai tant que je le pourrai. Oui, je t'aiderai. Je serai toujours là. Même si tu ne me vois plus.

– Tu vas retourner chez Courbet ?

Elle eut un rire étonné :

– Chez Courbet, quelle idée ! Non. Moi aussi, j'ai mes plans. Tu veux étonner le monde, avec tes dessins. Moi aussi, je t'étonnerai. J'étonnerai peut-être même Courbet, bien que lui ne s'étonne que de lui-même.

– Je me souviens de ce que tu me répétais, que je laissais toujours passer mes chances. Alors tu as vu une chance qui passait pour toi et tu ne la laisses pas passer. C'est ça ?

– Oui, c'est ça.

Deux jours plus tard, Julie, une fois de plus, disparut.

Cette fois-ci, la solitude pesa beaucoup plus fortement sur Hector car il savait que Julie ne reviendrait pas. Son projet de maison portative, incombustible et agrandissable lui semblait maintenant entaché de défauts. Il n'était plus très sûr de l'incombustibilité du métal qui, s'il ne fond qu'à de très hautes températures, se tord, s'effondre sous l'effet de la chaleur. Sans doute fallait-il adjoindre des briques dans les murs. Encore des briques !

Lorsque Julie était là, son travail l'accaparait trop pour qu'il puisse disposer de temps pour l'égayer un peu par des sorties, comme jadis. Seul, ce travail l'intéressait moins. Il s'ennuyait dans ce logis où Julie avait laissé son odeur. Il ne tenait plus en place, comme si, en traînant dans les rues, il allait retrouver Julie.

En se promenant, il s'aperçut que sa projection dans l'avenir lui cachait la réalité présente. Que les Boulevards soient éclairés au gaz l'étonna. La lumière les transformait. Les passants s'attardaient plus longtemps dans les cafés et les restaurants. L'éclairage précédent, à l'huile, donnait des lueurs blafardes. Les rues étaient sinistres. Avec le gaz, les Boulevards prenaient un air de fête. Une foule volubile y déambulait tard dans la nuit.

Mais que de démolitions ! Le boulevard du Temple, promenade préférée des Parisiens, était sens dessus dessous. On y démolissait sept théâtres afin de pouvoir percer le futur boulevard du Prince-Eugène. Au quartier Latin, tout le haut de la rue de la Harpe était éventré pour y continuer le boulevard de Sébastopol jusqu'au jardin du Luxembourg.

Hector, tout en approuvant la théorie de la ligne droite imposée par Haussmann, déplorait néanmoins son systématisme. S'il continue ainsi, se disait-il, il va finir par redresser le cours de la Seine !

Hector en revenait toujours à son rêve de la modernité axée sur le chemin de fer, ce rêve qui s'était éveillé dans sa trop brève collaboration avec les Pereire. Il allait admirer les gares, qui s'appelaient encore des débarcadères. Les débarcadères de Lyon, de Strasbourg, du Nord, de Montparnasse, d'Orléans.

Tous ces débarcadères masquaient leurs belles marquises de fer et de verre par une façade de pierre ornée de statues. Jamais il n'aurait accepté ça ! Et il entendait désagréablement Julie lui dire à l'oreille : « Seulement voilà, jamais tu n'as construit de gare. »

Était-ce parce que Julie eût aimé qu'Hector passe avec elle des soirées sur les Grands Boulevards, alors si à la mode, particulièrement le boulevard des Italiens, le véritable boulevard, LE boulevard, celui où les cafés les plus fréquentés par le beau monde se touchaient ou se faisaient vis-à-vis ; était-ce à cause de ces plaisirs à deux manqués que, maintenant qu'il était seul, Hector se complaisait à y musarder une partie de la nuit ? Peut-être aussi espérait-il y retrouver Julie. Mais il n'y rencontrait que des filles peu farouches, qu'il ramenait parfois chez lui. Et qui repartaient dès le jour levé.

Parfois, il s'attardait à dîner à la Maison Dorée, où le poisson était excellent. Peu amateur de glaces, il évitait Tortoni. Par contre, le Café Anglais l'attirait. Non pas à cause de ses vingt-deux salons et cabinets particuliers qui aguichaient les viveurs et les lionnes, et où il ne montait jamais, mais pour l'ambiance de son rez-de-chaussée, avec sa dame du comptoir, imperturbable, ses garçons si stylés qu'ils ressemblaient à des croque-morts et qui vous apportaient votre demi-tasse de café et ses deux sucres, pour quarante centimes, comme s'il s'agissait du saint sacrement.

On voyait beaucoup de gens célèbres, au Café Anglais. Rossini y réservait sa table. Un soir, peu avant minuit, Hector repéra Courbet qui arrivait seul. Il avait beaucoup grossi. Trop. Les cheveux longs, soigneusement peignés, la barbe et la moustache épaisses, son allure gardait toujours beaucoup de panache.

Toutefois, dans ce café chic, où se donnaient rendez-vous les aristocrates et les banquiers, il détonnait un peu. Bien vêtu, avec sa redingote ample, son foulard noir qui mettait en évidence la blancheur de sa chemise, il avait néanmoins quelque chose du maquignon enrichi. C'est d'ailleurs cette allure à la populaire, qu'il ne cherchait pas à dissimuler, qu'il tendait plutôt à accentuer, allant même, s'il se trouvait en présence de gandins qui lui faisaient la gueule, jusqu'à parler patois, c'est cette ostentation à ne pas dissimuler ses origines qui lui valait une bonne part de l'hostilité dont il était l'objet dans ce que l'on appelait « le monde ».

Visiblement, Courbet n'était pas un habitué du Café Anglais. Il évita Rossini qui le regardait d'un air narquois, toisa avec dédain les garçons qui ne s'empressaient pas de l'accueillir, aperçut soudain Hector.

– Toi, ici !

Surpris, Courbet s'assit devant le guéridon de son ami.

– Tu crois que la bière est bonne, dans ce troquet ? Tu bois du café dans une si petite tasse. Moi il me faut de la quantité et de la bonne.

Il appela le garçon qui lui apporta une chope, en rechignant.

Courbet ricana :

– Je ne suis pas de leur monde et ça les embête. Toi non plus, tu n'es pas de leur monde. Mais ça se voit moins. Tu t'effaces. Tu n'aimes pas te faire remarquer. Sauf par ton architecture. Et là tu n'y vas pas de main morte. Là tu me ressembles. D'une autre façon. Tu es aussi vachard que moi, avec ton air de ne pas y toucher.

Hector pensait à ce que lui avait révélé Ambroise : cette protection de Morny accordée à Courbet. Que le tout-puissant demi-frère de l'empereur, l'organisateur du coup d'État, puisse admirer et soutenir le révolutionnaire Courbet, qui ne cachait jamais ses opinions politiques, voilà qui était renversant. Que Courbet entretienne des relations avec ce mondain, ce dandy, ce jouisseur, cet arriviste, était encore plus renversant.

– Morny..., murmura Hector. Comment Morny et toi pouvez-vous être de mèche ? Il me faudrait te remercier de m'avoir recommandé au diable. Non, vraiment, je n'y comprends rien.

– Le diable, quel diable ? bougonna Courbet. Tu es comme moi, tu ne crois ni à Dieu ni à diable. Alors laisse ces bêtises de côté. Morny n'est pas le diable. Ni un ange. Ni toi ni moi ne sommes préoccupés d'angélisme. Laissons tout cela aux curés. Morny est un homme d'État, un amateur d'art averti. Tu t'es grillé auprès de Villemessant en voulant me défendre. C'était très gentil, mais tu aurais dû m'en parler. Villemessant est un obligé de Morny. Il n'aime pas le réalisme, donc il ne m'aime guère. Cet article contre moi était néanmoins une erreur, d'un collaborateur trop empressé et non averti. Morny l'a fait jeter dehors. Pourquoi ne m'en avoir rien dit ? J'aurais tout arrangé. Pourquoi te retirer des affaires ? Tu partais en flèche...

– Pas dans de telles conditions.

– Enfin, Hector, tu n'es pas raisonnable !

– Ça c'est la meilleure ! Toi, me reprocher de ne pas être raisonnable !

– Écoute-moi. Morny partage ta passion des chemins de fer. Avant 1848, sous Louis-Philippe, il a deviné leur avenir, comme l'industrialisation du pays qui s'ensuivrait. Il s'est lié pour cela aux Pereire depuis plus de dix ans. Ce n'est pas le gouvernement qui te veut du mal, mais tes confrères. Pareil pour moi. Sauf l'empereur qui ne comprend rien aux arts et son Eugénie qui est une punaise de sacristie, le gouvernement ne m'embête pas. Ce n'est pas lui qui refuse mes toiles au Salon. Les peintres de l'Institut s'en chargent. Ils exercent une véritable tyrannie. Morny, lui, me comprend et me soutient. Contre eux. Pourquoi lui tiendrais-je rigueur de ses opinions politiques, que je n'approuve pas ? Il le sait. Je ne m'en cache jamais.

» Morny n'est pas si mauvais qu'on le chante. L'aurait-on écouté que la guerre de Crimée ne se serait pas déclenchée. Il a tout essayé auprès de son demi-frère pour l'empêcher de se lancer dans ce gâchis. Badinguet ne l'aime guère. Pour l'empereur, Morny n'est qu'un bâtard qui lui rappelle désagréablement, par sa seule présence, l'inconduite de sa mère. S'il pouvait se passer de Morny, il le ferait. Seulement, il a besoin de lui. Tu vois, Morny est comme nous. Nous sommes tous les trois des bâtards, chacun à notre manière. Pour ceux qui agrippent la queue de la poêle, nous sommes des bâtards. Quand tu veux, je te présente à Morny. On peut raccommoder ça.

– Jamais.

– On est bien obligé à des compromissions. Comment veux-tu réaliser une architecture aussi coûteuse que celle que tu proposes, sans l'appui des gens qui disposent du pouvoir, de l'argent, de la presse, tout...

– J'admire ceux qui refusent, qui ne font pas de compromissions. Comme Victor Hugo qui n'a jamais accepté le 2 décembre, qui s'est battu sur les barricades, qui a été exilé et qui invective le second Empire de son rocher de Guernesey.

Courbet marqua une certaine stupéfaction. Puis se mit à rire d'un rire gras, de plus en plus fort, si fort que les clients du Café Anglais se détournèrent, choqués, et que la caissière, derrière son comptoir, agita une petite clochette.

– Hugo ! s'écria Courbet, parle-m'en de ce parfait, de ce pur, de ce modèle de vertu patriotique ! Ah, oui, tu as bien choisi !

– Moins fort, dit Hector. Tout le monde nous regarde.

– Ah ça non ! Je ne vais pas parler de ton Victor Hugo à voix basse, pieusement, comme il sied à sa sainteté.

Courbet se remit à rire :

– Tu crois que Victor Hugo n'a pas fait des pieds et des mains pour être nommé à la Chambre des pairs, sous Louis-Philippe ? Bon, c'est commun ! Les gens de lettres n'ont pas de scrupules lorsqu'il s'agit d'être à l'honneur. Seulement voilà, lorsque Cavaignac écrasa le peuple, en juin 48, Hugo a applaudi. Lui, l'ami des pauvres ! Il s'était alors aperçu que ce peuple qu'il poétisait pouvait être méchant. Cela excusait bien la correction de Cavaignac. Toi, tu refuses de rencontrer Morny. Et tu crois Victor Hugo aussi scrupuleux ? Ne te souviens-tu pas que le député Victor Marie, comte Hugo, a défendu la candidature de Louis Napoléon à la présidence de la République ? Il ne se vante pas de s'être ensuite entremis auprès de Morny dont il devina la puissance cachée.

» Morny m'a raconté comment Hugo vint lui confesser son dévouement aux Bonaparte. Persuadé que le prince Louis Napoléon prendrait bientôt tout le pouvoir, dans cette perspective il se déclarait prêt à recevoir ses ordres et même à accepter volontiers un ministère, par exemple celui de l'Instruction publique.

» Morny transmit ainsi le message à son demi-frère : "Hugo fait un pas vers nous. Ménagez-le, mais ne l'employez pas." Et Louis Napoléon de répondre : "Oh ! je le connais trop pour l'employer. C'est l'orgueil féroce."

» Éconduit, Hugo n'a jamais pardonné, ni à Morny ni à la famille Bonaparte, l'échec de sa fourberie. De là sa haine pour Napoléon le Petit. Il ne le trouvait pas si petit que ça, quand il sollicitait un fauteuil à sa Cour. Le vacarme qu'il entretient à Guernesey pour justifier sa conduite fera oublier ses... comment dis-tu ?... compromissions... Choisis-moi un autre héros. Pas Lamartine, lui aussi compromis en juin et auquel le peuple a donné une jolie fessée lorsqu'il a prétendu à la présidence de la République. La politique ne convient guère aux poètes. Ils sont toujours prêts à avaler des couleuvres et à les faire ingurgiter aux autres.

» Enfin, quoi... Napoléon couvert d'injures, souffleté par le redresseur de torts de Guernesey, pourrait facilement enlever Hugo de son îlot. Son grand-oncle a pris moins de gants avec le duc d'Enghien. S'il voulait étouffer la voix de Hugo, qui l'en empêcherait ? Mais il s'en fout.

» Hector, mon cher Hector, méfie-toi des incorruptibles ! Hugo, sur les barricades le 2 décembre, tu rêves ! Il a rêvé lui-même d'être héros sur les barricades. En se tenant prudemment à côté. Tout près, mais à côté. Il parcourait les rues, cherchant à soulever le peuple. Le peuple en armes ! Pas lui. Tu le sais, le peuple n'a pas marché. Il se méfiait des poètes dont il avait auparavant pris les chants séditieux trop au sérieux. Les poètes chantaient. Le peuple déchantait.

– Me diras-tu que notre ami Proudhon, lui aussi, s'est compromis ?

– Proudhon c'est la justice, la vertu, la rigueur incarnées. Hugo le déteste. Mais oui, ne proteste pas, Hugo le déteste parce qu'il subodore que Proudhon, muet à son sujet, l'a démasqué. Le silence de Proudhon l'effraie.

Le 28 avril 1858, le nouvel ouvrage de Proudhon : *De la justice dans la révolution et dans l'Église* était saisi pour avoir tourné en ridicule « un culte reconnu par l'État ». Le 2 juin, Proudhon, condamné à trois ans de prison et à quinze mille francs d'amende, devançait l'arrestation et s'enfuyait à Bruxelles.

Hector, accaparé par son projet de maison portative, incombustible et agrandissable, n'avait pas rencontré Proudhon. Seul Proudhon le rassérénait, lui redonnait à la fois confiance en lui-même et dans l'avenir du monde. Cette maison entièrement métallique, usinable, Hector savait qu'elle reposait sur des données justes. Il s'apercevait toutefois qu'elles étaient peu réalisables dans le contexte de l'industrialisation de son temps. Mieux valait ne pas en parler, classer ses plans, pour les reprendre plus tard, lorsque le progrès les rendrait possibles. Inutile de se prêter ostensiblement à la dérision et de ranimer l'hostilité à son égard.

Peut-être, si Julie avait été près de lui, eût-il néanmoins continué. Il se rendait compte, maintenant, qu'il dessinait plus auparavant pour étonner Julie que pour étonner la galerie. Et que, du temps qu'Ambroise travaillait avec lui, c'était Ambroise qu'il voulait étonner. Entre les deux anciens condisciples subsistait une compétition amicale, très fructueuse. Hector entendait bien distancer à chaque fois Ambroise qui le suivait en effet, émerveillé.

Dans son petit logement de la montagne Sainte-

Geneviève, Hector n'avait plus personne à convaincre. Les hirondelles, qu'il y ramenait parfois le soir, ne se posaient qu'un bref instant et se renvolaient, sans avoir même jeté un regard sur des plans qu'elles bouleversaient par mégarde, comme s'il s'agissait de vieux papiers.

L'inauguration des boulevards de Sébastopol et de Strasbourg fut un événement qui attira tout Paris. Même Hector. La reconstruction de Paris par Haussmann marquait là sa première grande réussite : une ligne droite allant du jardin du Luxembourg jusqu'à la gare de l'Est dite alors de Strasbourg. Toutefois, une artère aussi longue, qui devait franchir l'île de la Cité dont les taudis étaient alors jetés bas, parut incommode et on la tronçonna en deux, le boulevard de Sébastopol rive gauche devenant le boulevard Saint-Michel du nom de la fontaine qui s'édifiait près de la Seine.

Le boulevard de Sébastopol constituait un manifeste haussmannien, non seulement en raison de la rectitude absolue de son tracé qui répondait à la doctrine imbécile du préfet : « L'architecture n'est autre chose que l'administration », mais aussi par l'esthétique donnée aux immeubles qui bordaient cette voie triomphale. Une voie triomphale qui partait d'une gare et descendait vers un fleuve. La gare, nouvelle porte de la ville, cela réjouissait amèrement, mais réjouissait quand même, Hector. Les immeubles bourgeois du boulevard de Sébastopol représentaient des prototypes qui seraient reproduits partout. On était loin de la maison métallique d'Hector, très loin, aux extrêmes. Cette architecture n'était qu'une architecture de façade, un alignement d'immeubles tous semblables, comme des soldats à la parade. Si ce n'avaient été les percées de quelques rues, on eût pu penser qu'il s'agissait d'un seul et même immeuble, aux fenêtres similaires, de cinq kilomètres de long, identique des deux côtés de la voie.

Hector entra dans certaines maisons inachevées. Il put y observer l'aménagement intérieur, frappé par cette anomalie qu'en s'agrandissant l'habitat du Parisien se rapetissait. C'est-à-dire que les logements diminuaient en surface alors que l'immeuble grandissait en hauteur et en largeur. Une architecture de parvenus, maugréait-il, à l'image des parvenus qui nous gouvernent, l'empereur y compris, dont la légitimité est si sujette à caution.

Le jour de l'inauguration, tout Paris sembla donc s'être déversé sur le nouveau boulevard. Tout Paris, toutes classes confondues. Gibus et casquettes, crinolines et robes à volants, femmes du monde et demi-mondaines, ouvrières en cheveux et bourgeoises aux chapeaux extravagants. L'empereur apparut à cheval, précédé par des lanciers. Dans une calèche, Eugénie suivait le cortège. Puis arrivèrent les attelages des personnalités, tous les invités à la fête, rutilants d'uniformes et de décorations. La foule, amassée sur les trottoirs, se bousculait pour mieux voir, acclamait la réussite qui s'étalait dans ces voitures découvertes, acclamait ses seigneurs et maîtres. Hector, soudain, crut être le jeu d'une hallucination. Dans un tilbury, il reconnut Ambroise qui saluait. Près de lui, une jolie femme devait être Sophie, son épouse. Ambroise qui, sans doute, avait participé à l'édification de ces immeubles...

Là n'était pas la plus grande surprise. Car quelques voitures plus loin, dans un cabriolet, Julie, très décolletée, étalait son superbe buste. Ses cheveux roux, relevés à la mode Directoire, lui tressaient une sorte de couronne. À son cou, à ses oreilles, des diamants étincelaient. Elle regardait la foule, souriante, épanouie, comme si elle était l'impératrice.

7.

De même que tous ceux qui s'étaient lancés sans retenue, sans scrupules, et sans peur, dans l'aventure hasardeuse de ce second Empire inattendu, par bien des traits invraisemblable, sur lequel les hommes politiques traditionnels et chevronnés n'auraient pas parié deux sous ; de même que tous ceux qui avaient entièrement misé sur la pérennité de ce gouvernement né d'un coup de dés ; de même que tous ces joueurs effrénés conscients de la fragilité de leur option et, par conséquent, projetés à toute allure dans des opérations fulgurantes, Ambroise Lagut était devenu, en quelques années, un personnage fastueux, un personnage à la mode, n'acceptant plus que des commandes fabuleuses.

Il s'était dégagé des Pereire, pour se rapprocher d'autres magnats de l'industrie, les Schneider et les de Wendel. Les chemins de fer avaient en effet offert aux forges du Creusot des débouchés infinis pour la fabrication des rails et des locomotives. L'élan irréversible vers le progrès donné par les hommes du second Bonaparte se heurtait néanmoins souvent à des archaïsmes saugrenus. Jusqu'en 1860, le chemin de fer privé du Creusot ne sera-t-il pas tiré par des chevaux ? Rapidement, toutefois, la vapeur allait remplacer la traction animale pour les déplacements lourds.

Ambroise travaillait pour les Schneider et il travaillait pour leurs rivaux, les de Wendel. Le mariage de la « minette » lorraine et du charbon de la Ruhr faisait la fortune des maîtres de forge. Et pour leurs énormes usines, pour cet afflux d'ouvriers qu'elles attiraient en des lieux géographiques qui n'étaient pas préparés à les recevoir, pour ces forgerons qui trimaient douze à treize heures par jour, ces patrons avaient souhaité créer des cités où ils s'attacheraient cette main-d'œuvre, non seulement en la logeant, mais en la formant à une vie plus moderne.

Ambroise Lagut se révéla très vite l'architecte idéal de ces cités qui comprenaient des écoles gratuites, des hôpitaux, des services sociaux. Tout l'idéal qu'Hector lui avait insufflé, toute cette philosophie sociale venue des théories de Charles Fourier, de Considérant, et dont il avait réalisé une timide amorce avec son familistère, Ambroise la reprenait à son compte, en la détournant de sa finalité politique. La cité ouvrière idéale dont rêvait Hector, en bon disciple de Fourier, ce Versailles pour le peuple, devenait, dans les dessins habiles d'Ambroise, une cité ouvrière idéale pour le patronat. L'équipement ménager et social, dont bénéficiaient les ouvriers chez de Wendel et chez Schneider, n'avait pas d'équivalent, certes, et il était plus agréable de vivre là que dans les caves ou les greniers parisiens. Néanmoins l'ouvrier qui entrait chez ces maîtres de forge, si émerveillé d'y trouver un tel luxe, y demeurait prisonnier de tout un système d'emprunts et de redevances. Ces patrons philanthropes réinventaient un servage qui aura un bel avenir. Logés décemment, exclus de la crainte du chômage, bientôt instruits dans des écoles qu'Ambroise construisait pour eux, ces ouvriers se révélaient beaucoup plus productifs que leurs collègues travaillant ailleurs dans des conditions plus difficiles. L'étrange, c'est que les Schneider et les de Wendel étaient les seuls à comprendre l'avantage de cette modernisation de la classe ouvrière, scandalisant les autres industriels qui criaient au gâchis et leur reprochaient qu'en éduquant les ouvriers ils en feraient de futurs agitateurs.

Le succès d'Ambroise Lagut venait de sa faculté d'adaptation. Adaptation des idées révolutionnaires, partagées avec Hector, à cette nouvelle idéologie du progrès par l'intensité du travail industriel et commercial, par le brassage démesuré des capitaux, par le bouleversement du vieux Paris. Du neuf, toujours du neuf. Vite, très vite. Le premier Bonaparte n'avait cessé de courir, courir vers une chimère guerrière qui mettra le feu à l'Europe, le second Bonaparte courait lui aussi à toute allure, quitte à crever sous lui les chevaux du progrès.

Ambroise Lagut architecte des maîtres de forge, c'était un bon filon. Mais il en obtenait de plus prestigieux. Morny l'avait recommandé à un de ses amis, dont la réussite banquière résultait certainement des conseils confidentiels du demi-frère de l'empereur. Le baron Vadé de Rueil, baron d'aussi fraîche date que Haussmann, ne pouvait rien refuser à Morny et ne lui refusait rien. Le second Empire tenait ses assises de ces échanges de bons procédés. Le baron Vadé s'empressa de commander à Ambroise un hôtel particulier qu'il désirait placer non loin de la maison pompéienne du prince Napoléon, avenue Montaigne.

L'avenue Montaigne, un siècle plus tôt, chemin desservant des cabanes de jardiniers du marais des Gourdes, s'appela, jusqu'au coup d'État, l'allée des Veuves parce qu'on pouvait y rencontrer des personnes solitaires à la recherche de quelque aventure loin du centre de la ville, cette nouvelle avenue Montaigne allait être, elle aussi, l'une des belles artères du nouveau Paris. Le prince Napoléon, fils de Jérôme Bonaparte, l'ancien roi de Westphalie (car tous les Bonaparte affluaient à Paris depuis le sacre de leur cousin), le soi-disant « prince » Napoléon, donc, voulant s'afficher comme successeur éventuel de Napoléon Ier, s'était offert, avenue Montaigne, ce qu'il appelait « la maison de Diomède », une reconstitution de maison romaine antique, avec portique, atrium, bains. Une polychromie violente, intérieure et extérieure, achevait de faire de ce « palais » couvert de mosaïques l'ensemble le plus farfelu, le plus pompeux et le plus dérisoire qui soit.

Le baron Vadé ne voulait pas ça. Pas ça du tout. Mais il se flattait de construire son propre « palais » près de celui d'un Bonaparte. Ce que voulait le baron Vadé, ce n'était pas du « style Napoléon », mais du Louis XIV, ce qui était quand même plus chic.

Donc Ambroise Lagut reçut la commande d'un palais de style Louis XIV. L'originalité d'Ambroise, fruit de son intelligence, de ses astuces et toujours de ce qu'il retenait de son association avec Hector, était de mélanger les genres. De les mélanger si habilement que ses commanditaires ne s'en apercevaient pas.

La façade du « palais » en pierre de taille pastichait évidemment le style Louis XIV. À l'intérieur, Ambroise exagérait sans doute le nombre de colonnes à chapiteaux dorés, de balcons, de niches à statues, mais il devait faire riche et y insérer aussi des tableaux dont l'insignifiance lui devint si insupportable qu'il les fit pratiquement disparaître en les intégrant dans le décor général de moulures, de reliefs en staff, de tapisseries de haute laine.

Les balcons étaient supportés par des cariatides, femmes noires aux bras levés et aux seins nus. Aux angles des pièces, des atlantes brandissaient des becs de gaz. Les plafonds à caissons, à rosaces, les corniches aux frises bleues, les cheminées monumentales dans lesquelles ne cuirait jamais un bœuf, ni même un œuf, les lustres extravagants, les rideaux grenat aux portes, les tapis d'Orient sur des parquets qui eussent gagné à ne pas être masqués, tout cet excès de nouveau riche, Ambroise s'amusa à l'amplifier jusqu'à la caricature. Mais dans la cour, il avait aménagé une orangerie et une volière, d'un goût exquis, dont la structure aux fines nervures métalliques rappelait les dessins d'Hector, pour les Halles.

Ambroise Lagut montrait avec habileté comment marier les extrêmes. Pas une seule de ses constructions où n'apparaissait le rappel de son idéal d'une architecture de fer et de verre. Parfois d'une manière inattendue, dans un plafond qui, soudain, semblait s'ouvrir sur le ciel par une coupole de verre, colorée, chatoyante, comme un vitrail.

Il n'était pas dupe des commandes qu'il acceptait, s'employant toutefois avec brio à les satisfaire. Le baron Vadé et ses pareils partageaient le goût des modistes et des cabaretiers, aimant les portières, les tapis sous les pieds, les bourrelets de soie. Tout se dissimulait sous une profusion d'étoffes. Plus ses clients étaient riches, plus ils aimaient la rocaille, voire le gothique. Il fallait masquer les fenêtres, tendre des doubles rideaux au point d'Alençon, accrocher des tissus des Indes aux arabesques brodées. Que devenait l'architecture dans tout ce fatras ?

Le « palais » de l'avenue Montaigne fut bientôt trop petit pour le baron Vadé. Il voulut une résidence secondaire à la campagne, près d'Enghien. Là, Ambroise se laissa aller à son propre goût. À la campagne, on pouvait faire simple. La demeure fut évidemment un pastiche des châteaux de la Loire. En revanche, dans tout l'aménagement du parc, Ambroise se dépassa dans l'échantillonnage de ses talents. Le château se prolongeait sur ses arrières par des bâtiments aux structures de fonte et de verre qui ressemblaient aux marquises qu'il avait édifiées dans de si nombreuses gares. On y voyait des vérandas, une orangerie couverte d'une terrasse, une salle d'armes et d'armures si éclairée qu'elle semblait s'ouvrir sur le gazon. Les volières, superbes de simplicité, se reliaient entre elles comme des pavillons chinois.

Le château campagnard du baron Vadé émerveilla autant que le « palais » de l'avenue Montaigne. Ambroise Lagut n'avait plus besoin de références. Il croulait sous les commandes. Sophie donnait de nombreuses réceptions dans leur hôtel particulier du faubourg Saint-Germain qui attiraient le Tout-Paris. Qui attiraient d'autant plus que chacun savait qu'il y rencontrerait Morny.

La ressemblance entre Morny et Napoléon III était frappante, un peu gênante. Ce qu'il y avait de trouble dans Morny ressortait dans ce rapprochement physique qui évoquait trop crûment sa bâtardise connue de tout le monde, mais dont il n'était pas de bon ton de parler. La ressemblance s'arrêtait à ces traits de visage car Morny était aussi séduisant que son demi-frère l'empereur était terne. Enjôleur, donjuanesque, ce fauve cachait sa férocité sous un air d'extrême frilosité, se couvrant de fourrures.

Il amenait souvent avec lui, dans ces soirées chez Ambroise, cet Offenbach dont il s'était entiché et qui, il faut bien le dire, mettait en valeur sa prestance. Car Offenbach, avec son crâne chauve, ses besicles, ses longues jambes qui lui donnaient une allure de sauterelle, étalait une laideur rare.

La protection que Morny accordait à Offenbach (allant jusqu'à accepter d'être le parrain de son fils) n'était pas innocente. En favorisant l'opéra bouffe, Morny favorisait le régime. Par sa satire aimable de la société, Offenbach contribuait au bon moral de l'Empire. Avec Offenbach tout le monde rigolait de la pourriture d'un monde qui ne se savait pas si malade. On s'amusait sur l'Olympe comme à la cour de l'empereur. On se tapait sur les cuisses en se moquant des pauvres (*Les Deux Aveugles*), du Moyen Âge (*Croquefer*), des croisades (*Geneviève de Brabant*), de la tragédie grecque (*La Belle Hélène*), de l'opéra sérieux, de Berlioz, de Wagner.

« Je suis gaie, soyez gais ! » chantait la Belle

Hélène. C'était le mot d'ordre que Morny entendait diffuser.

« Soyez gais ! » Cette parodie burlesque, cette bouffonnerie, permettait de ne pas discerner la pitrerie de ce régime qui, après s'être proclamé pacifiste, s'était lancé dans l'insensée guerre de Crimée, puis avait envahi le nord de l'Italie en se glorifiant des victoires de Solferino et de Magenta. Offenbach entretenait une insouciance qui permettait au second Empire de se maintenir et de ne pas réfléchir sur cette course vers un soi-disant progrès, porteur dans ses excès des stigmates de la mort.

Ambroise demeurait, dans sa richesse rapidement acquise, dans sa célébrité, un homme simple. Il ne plastronnait pas. Avec Sophie, ils donnaient l'image heureuse d'un couple uni. Lors de leurs soirées, ils présentaient toujours leurs enfants avant le dîner, dans leurs jolis atours. Deux petites filles et un garçonnet. On n'attribuait à Sophie aucune liaison, aucun amant, ce qui paraissait une gageure, ou une excentricité. Quant à Ambroise, personne n'ignorait que, comme tous les autres hommes de son rang, il entretenait une lionne à laquelle il avait offert un appartement spacieux boulevard de Sébastopol.

Cette lionne, vous le devinez (mais si, vous le devinez !), cette lionne qui avait posé ses pattes douces et griffues sur Ambroise, c'était Julie.

Qu'on ne se méprenne pas, lorsque Julie fuguait, jadis, ce n'était pas avec Ambroise. Disons que, dans ces brèves aventures, elle se faisait les griffes. Loin du quartier Latin, loin de la bohème, là où les lanternes et les lustres constellés de bougies donnaient de la brillance aux visages pâles d'hommes vêtus de noir.

Qu'on ne se méprenne pas, lorsque Julie alla demander à Ambroise d'introduire Hector chez les Pereire, ni lui ni elle ne pensèrent qu'un tel service valait des remerciements en nature.

C'est seulement quand elle vit Hector patauger incurablement dans ses échecs et sembler y prendre un plaisir masochiste qu'elle décida de se lancer dans la vie mondaine ou plutôt, comme on disait alors, demi-mondaine, pour laquelle elle se savait des dispositions.

Elle aspirait déjà à cette carrière dans la galanterie en quittant Courbet pour Hector. Très vite, elle s'aperçut qu'elle se trompait, qu'Hector ne serait jamais un architecte qui l'emmènerait vers où elle aspirait aller. Il lui arriva une chose inattendue : elle devint amoureuse de son amant. Si bien qu'elle s'installa avec Hector, longtemps, trop longtemps. Si longtemps qu'elle n'eut plus le courage ni l'envie de le quitter. Elle s'étonnait de se sentir heureuse avec une existence aussi médiocre. Hector continuait à vivre comme un vieil étudiant, dans son modeste logement, dans ce vieux quartier isolé de la modernisation de Paris. Hector n'était pas beau, ne faisait pas de prouesses au lit et c'était lui qu'elle aimait.

Le premier homme qu'elle aimait vraiment, sans comprendre pourquoi.

C'est justement cet amour qui la paralysait, qui lui coupait les ailes. Lorsque Courbet la tira de la fange, lorsqu'il lui révéla sa beauté, elle se jura, comme le chantait Hortense Schneider dans *La Belle Hélène*, de faire « cascader la vertu ». Ces beaux messieurs qui s'attardaient dans l'atelier de Courbet, ces hommes gavés d'argent, quelle revanche à prendre sur eux, de la Petite Pologne et des cabanons de la plaine Monceau. Hector l'avait détournée, sans qu'il le sache, de cette carrière frivole.

Elle imagina un moment qu'ils la prendraient ensemble, cette revanche. Lorsqu'elle le vit travailler pour les Pereire, s'approcher du puissant Morny, elle pensa que tout allait bien, qu'il ne lui serait pas nécessaire de partir, qu'elle pourrait appâter les puissants qu'Hector ferrerait comme de gros poissons. Le génie d'Hector accomplirait le reste.

Son avidité à s'introduire dans le grand monde, à y briller, ne venait pas d'une coquetterie puérile, mais de l'envie d'y effectuer un véritable massacre, persuadée qu'elle ne pardonnerait jamais, à ceux qui détenaient le pouvoir, la misère et la honte de son enfance. Puis s'ajoutèrent à ses propres malheurs les rebuffades, les plagiats, les ricanements qui accompagnaient la carrière d'Hector. Elle ne comprenait pas qu'il acceptât avec si peu de colère de telles injustices. Elle s'en indignait, se révoltait, se révoltait à la fois contre l'inhumanité de la société et contre Hector qui restait impassible.

Pour s'élancer vers la gorge de la bête, il lui fallait un marchepied. Il lui fallait quelqu'un qui l'installât avec suffisamment de faste pour qu'elle pût attirer les bourdons de l'Empire avec le miel que la nature lui avait donné par mégarde. Ambroise, devenu célèbre et riche, constituait une proie facile. Trop facile. Il ne fut pas dupe. En installant Julie, il effectuait un rite inhérent à sa situation sociale. Ce luxe lui manquait, en effet. Les réceptions que Julie organiserait boulevard de Sébastopol auraient une autre saveur que celles dans l'hôtel particulier d'Ambroise. Elles permettraient de tramer d'autres relations, plus canailles. L'atmosphère insouciante, l'érotisme poivré des cocottes dégelaient les notables les plus froids.

La liaison entre Julie et Ambroise fut donc, de part et d'autre, guidée par la raison.

Pour son « salon », il fallait à Julie quelques vedettes. Bien sûr, elle pensa en premier lieu à Courbet toujours très pittoresque. Courbet n'était pas à Paris. Bizarrement, ce campagnard impénitent venait de se passionner pour la mer. Séjournant à Honfleur, il peignait avec force et violence la marée, les vagues. Alors qu'on le disait si imbu de lui-même, si méprisant pour tous les autres artistes, il s'y était lié à un peintre modeste, à propos duquel il professait la plus grande admiration, Eugène Boudin.

Les gandins ne manqueraient pas d'affluer dans ce premier étage qu'Ambroise meubla avec goût, corrigeant néanmoins la sévérité du décor, à laquelle il aspirait, mais qui convenait mal à la destination de cet appartement, par un flot d'étoffes précieuses, qui le transformait en boudoir. Les banquiers, les directeurs de journaux, les hommes d'affaires arriveraient, guidés par Ambroise. Ils allaient en effet d'une soirée à l'autre, frelons butineurs, pratiquant un libertinage devenu naturel, où l'arrivisme se doublait de cynisme.

Dans tous ces lieux, des artistes servaient de leurres. Julie eût aimé inviter Hortense Schneider, qu'elle admirait tant. Ambroise lui démontra qu'elle visait trop haut. Ni Hortense Schneider ni Offenbach ne viendraient dans son salon. Il fallait au moins, pour les déplacer, une réception dans un hôtel particulier.

Qu'à cela ne tienne, se dit Julie. J'aurai un hôtel particulier.

Un an se passa avant qu'elle puisse envisager d'atteindre ce but. Un soir, Ambroise eut l'imprudence de l'emmener à une réception chez le baron Vadé, dans ce fastueux castel de l'avenue Montaigne. Il ne résistait pas toujours à l'envie de montrer sa maîtresse. Aux approches de la trentaine, la taille, le buste de Julie s'étaient un peu épaissis. Elle n'en était que plus pulpeuse. Lorsqu'elle entra dans le salon du baron Vadé, au bras d'Ambroise, il y eut un murmure d'admiration. Son décolleté découvrait cette peau d'une blancheur laiteuse, propre aux rousses. Soulevant légèrement d'une main sa robe à traîne, elle avançait, souveraine. Elle savait que, ce soir-là, elle devrait jouer gros jeu. Elle n'avait peur de rien. Cela se voyait trop. Au murmure d'admiration succéda une certaine froideur.

Ambroise présenta Julie au baron Vadé, homme sans âge, ce qui voulait dire qu'il n'était plus jeune. Chauve, rondouillard, il se tenait bien droit sur des jambes courtes que sa blanche culotte de soie n'avantageait pas. Un gros ruban rouge de la Légion d'honneur ornait sa veste noire.

Il s'inclina devant Julie, lui baisa la main. Ou plutôt le petit morceau de peau qui apparaissait entre son avant-bras et son gant de dentelle. Julie tressaillit. Elle eut la certitude que le moment était venu, qu'elle allait enfin, ce soir-là, partir en chasse.

8.

JULIE disparue, Ambroise occupé ailleurs, Courbet à Honfleur, Proudhon à Bruxelles, Hector se trouva pendant quelques années coupé à la fois de ses amis et de son amour.

Habitué à vivre pauvrement, les honoraires perçus en travaillant pour les Pereire et pour le familistère lui permirent de tenir longtemps. Suffisamment pour qu'il puisse se manifester à tout propos, alors qu'on ne lui demandait rien. Il entra ainsi peu à peu dans la peau d'un personnage un peu légendaire, trop différent de ses semblables pour paraître tout à fait vrai.

Il commençait toujours par surprendre, puis il déroutait, dérangeait et, finalement, agaçait. Si bien que certaines de ses découvertes ne seront prises au sérieux que bien longtemps après sa mort. À la recherche de la mesure exacte, n'avait-il pas conçu avant la lettre ce que l'on appellera un siècle plus tard le « nombre d'or », qu'il appliquait d'ailleurs dans le tracé de ses projets ?

Quand fut lancé le concours pour la deuxième Exposition universelle de Londres, prévue pour 1862, il n'y participa pas, estimant qu'il n'avait rien de mieux à proposer que son projet pour la première Exposition universelle, début de ses succès et de ses échecs.

Tous ses efforts étaient désormais braqués dans sa volonté de contribuer à la modernisation de Paris. Il n'était pas possible que ce nouveau Paris, qui se voulait à l'avant-garde des arts et de l'industrie, se réalisât sans lui. Ambroise lui avait pourtant bien souligné que, sans l'appui, sans l'accord d'Haussmann, il n'arriverait à rien. Hector s'obstinait à croire que le génie finissait toujours par bousculer, par détruire tous les obstacles.

Alors il se montrait partout où la municipalité, l'État, décidaient de bouleverser les plans de la capitale. L'aménagement de la place de l'Étoile doit-il être confié à Hittorff, qui propose le percement de voies rayonnantes et la construction de petits hôtels particuliers, tous semblables ? Hector s'échauffe et passe ses nuits à dessiner un fantastique environnement à cet Arc de triomphe qu'il méprise et qu'il aurait bien effacé, s'il l'eût pu : des vérandas, des tourelles, des arches, des galeries.

Le bois de Boulogne, qui attire tant les cavaliers et les calèches, doit-il être transformé en un jardin public ? Hector exulte et s'acharne à vouloir convaincre que les travaux entrepris sont une erreur.

qu'ils sont trop plats, trop timides. Il apporte toute une féerie architecturale : une grande halle métallique à laquelle on accède par un viaduc. Puisqu'il s'agit de plein air et de loisirs, Hector donne en contrepoint de la nudité de son architecture toute une efflorescence : pendentifs tombant du plafond, fleurons à la corniche, pampres suspendus au tablier, mâts, oriflammes, guirlandes, banderoles, arceaux fleuris. Il transforme le Bois, que les mondains et les courtisanes comptaient bien accaparer, en une sorte de kermesse populaire : jardins et parcs toujours ouverts avec des établissements à la fois utiles et attrayants, des fermes modèles, des gymnases, un théâtre, une salle de concert et, précise-t-il, « de vastes mappemondes montrant toutes les richesses, tous les éléments d'abondance et de bien-être répandus à profusion sur notre planète ». Il veut que son parc de loisirs apprenne au peuple la géographie, qu'il soit, d'une manière amusante, une initiation à la science. Enfin, quatre phares eussent permis d'organiser des spectacles nocturnes.

L'empereur, qui aimait particulièrement se promener à cheval au bois de Boulogne, entendait conserver cet espace vert pour les gens de sa cour. Il mit donc son gouvernement en garde contre le possible accaparement par la populace de cet espace qu'il désirait réserver à ses élites. Pour éviter une telle catastrophe, Haussmann chargea son architecte-jardinier, Alphand, d'aménager, à l'autre extrémité de Paris, un parc qui serait destiné au peuple : le bois de Vincennes.

Ainsi Hector, malgré lui, à son insu, participait-il au réaménagement de la capitale. Il était maintenant suffisamment connu pour que ses propositions ne passent pas inaperçues. Elles indiquaient aux services du baron Haussmann ce qu'ils devaient éviter si l'on voulait conserver son poste.

Quand fut lancé, en 1860, un concours pour un Opéra, et que cent soixante-dix architectes se précipitèrent pour s'inscrire, Hector le dédaigna, estimant que les jeux étaient déjà faits puisque l'empereur désirait que l'Opéra soit construit par son architecte favori, Viollet-le-Duc. Hector se trompait. Un architecte inconnu, Charles Garnier, sera finalement retenu, au grand scandale de la Cour. Comme quoi rien n'est impossible. Comme quoi Hector avait raison de s'obstiner.

Seulement, par quelle étrange perversion de son esprit s'obstinait-il toujours à proposer des œuvres à contre-courant ? Pourquoi, au moment où l'on ne parlait que de cet Opéra, qui constituera l'un des plus beaux monuments du régime impérial, Hector se mit-il en tête d'étudier une architecture strictement utilitaire dont la nouveauté serait néanmoins apparue incontestable à qui se fût préoccupé de vraie nouveauté ?

Au contraire des fantaisies un peu délirantes du bois de Boulogne, le regroupement d'ateliers industriels qu'Hector proposait d'édifier dans une même rue, et sur sept étages, n'avait rien de farfelu. Ces ateliers-logis, reliés ou indépendants, aux volumes évidemment transformables et mobiles, avec des monte-charge et des escaliers d'accès facile, desservaient ce qu'il appelait un athénée industriel. Cette robuste structure, formée de poteaux de fonte et de solives d'acier, était dotée d'une force motrice provenant d'une machine à vapeur implantée en sous-sol, et transmise à tous les étages pour actionner métiers, instruments et outils.

Les verrières des façades qui constituaient, cent ans avant leur réalisation courante, des « murs rideaux » ; les cabinets d'aisances aérés ; les bains, lavoirs et cuisines dotés d'eau chaude ou fraîche provenant de bouilloires collectives ou de réservoirs à eaux pluviales ; les services : brasserie, crémerie, poste, bureau de tabac, cabinet médical... tout cela était extrêmement réaliste, si réaliste que cette cité industrielle réunissant pour la première fois, dans un même local, le lieu de travail et le domicile de l'ouvrier, sera construite, peu après la mort d'Hector et à l'emplacement qu'il avait choisi, près de cette place du Château-d'Eau devenue alors place de la République.

Lorsqu'il dut quitter son logement de la montagne Sainte-Geneviève, Hector en conçut un profond chagrin. Ce logement où il avait étudié tous ses premiers projets avec Ambroise, où il avait vécu son inoubliable amour avec Julie, s'en séparer c'était abandonner définitivement sa jeunesse. Éventré par le percement du boulevard Saint-Michel, cerné par ces rues droites qu'Haussmann traçait pour faire de ce repaire d'étudiants turbulents une nasse facilement réduite en cas d'émeutes, le quartier Latin allait à l'abandon. L'étroitesse des rues, les terrains crevassés de trous et de mares, les venelles sombres où couraient des eaux sales, les maisons biscornues, bizarrement Hector s'était toujours plu dans cet univers si éloigné de la rigueur architecturale à laquelle il aspirait. Sans doute lui rappelait-il le Mouffetard de son enfance. Sans doute se trouvait-il moins étranger dans ce décor un peu sordide que dans les beaux quartiers nouvellement édifiés.

Le quartier Latin, de toute manière, n'était plus ce qu'il avait été. Les étudiants s'y promenaient moins en uniforme : pantalons à la hussarde, bérets rouges, cheveux longs et pipes courtes au bec. Les grisettes, avec leurs fichus blancs et leurs rubans roses, disparaissaient aussi.

Le quartier Latin se désertifiait, comme si ces tranchées asphaltées qui s'alignaient sur son pourtour, si propres à faciliter les charges de cavalerie et les tirs au canon, effrayaient une population qui se sentait déjà assiégée.

Hector déménagea pour s'installer sur la rive droite, dans un vieux quartier encore à l'abandon, rue du Sentier, non loin de l'animation des Grands Boulevards.

Il n'avait pas choisi ce lieu au hasard. D'une part il put y louer un grand local, pratique pour le tracé de ses plans d'architecte, d'autre part il se rapprochait de cette rue du Faubourg-Poissonnière qui demeurait liée, pour lui, au souvenir de Bathild, au souvenir aussi de l'insurrection du 2 décembre et de la barricade près du théâtre du Gymnase. Enfin, il n'aurait pas un grand parcours à effectuer à pied pour se rendre au Café Anglais, le seul luxe, le seul loisir qu'il s'octroyait.

Au Café Anglais, d'où il ramenait des hirondelles qui faisaient le printemps, et parfois quelques grues plus hivernales. Rien qui effaçât Julie.

C'est d'ailleurs au Café Anglais qu'il reçut indirectement quelques nouvelles de Julie. Un oiseau nocturne, invité à son guéridon, lui dit, moqueur :

– Toi, tu portes chance !

– Ma pauvre, la chance et moi...

– Tu ne te portes peut-être pas chance, mais tu portes chance aux femmes, si on en croit Julie.

Hector se sentit rougir. Il rougissait d'ailleurs de tout son corps qui lui brûlait.

La fille reprit :

– Ah ! si tu pouvais me porter chance, à moi !

– Tu connais Julie ?

– Je l'ai aperçue. La connaître, non. Elle a le cul trop haut placé. Ah ! celle-là, quelle cascadeuse !

– Cascadeuse ?

– Ben oui, quoi, elle fait cascader la vertu, comme on le chante. C'est toi qui lui as appris tout ça ?

Hector ne répondit pas. Cette fille, qui se permettait de poser ses pattes sales sur Julie, le dégoûtait. Il quitta très vite le Café Anglais, sans emmener la fille, qui l'insulta.

Hector évita désormais le Café Anglais, ce qui lui manqua. Il ne quittait guère son nouveau logement de la rue du Sentier qu'il devait aménager. Et il suppléait l'absence de ses amis en entretenant une correspondance assidue avec Proudhon.

Proudhon demeurait toujours pour lui l'image du sage. Du réfractaire. De l'en-dehors. Un savant, qui conservait de ses origines populaires une étrange naïveté. Il voyait si loin dans l'avenir que les événements du présent le déroutaient. La révolution de 1848 l'avait pris au dépourvu. Plus perspicace au 2 décembre, il avait néanmoins jugé inutile de combattre un coup d'État qui, croyait-il, n'avait aucune chance de durer. L'Empire le condamnait à l'exil. Ce qui ne l'empêchait pas d'estimer encore que l'Empire allait s'écrouler, qu'il ne tenait debout qu'en faisant des guerres aberrantes, comme diversion. « La paix, c'est la mort du despotisme », écrivait-il à Hector.

Et comme ce dernier lui répondait que Paris s'installait dans un régime que les riches consolidaient sur la ruine des pauvres, Proudhon, qui trouvait réponse à tout, lui faisait miroiter une opposition en province qu'il était le seul à discerner.

« Paris est d'une indifférence écrasante ; ce qui l'occupe, c'est l'orgie agioteuse et la chronique élyséenne. Une incandescence d'agiotage. La Bourse est devenue l'Hôtel de Ville du nouveau régime. »

Proudhon évoquait avec enthousiasme leur ami Gustave Courbet. Il se réjouissait de la gloire qui commençait à l'auréoler. Courbet bousculait le romantisme et le réalisme triomphait. À Bruxelles on ne parlait plus que de Courbet, qui éclipsait le vieux Delacroix.

Ce qui amena Hector à rapporter à Proudhon les propos étonnants de Courbet sur les intrigues et les impostures de Victor Hugo. Proudhon lui confirma que Hugo ne pardonnerait jamais à Morny ni à Napoléon III de lui avoir refusé le titre de ministre. « Hugo, lui écrivait Proudhon, a toujours méprisé les vrais défenseurs du peuple. Je me suis égaré à son propos, le croyant honnête, alors qu'il méprisait Lamennais, qu'il méprise Blanqui dont il dit qu'il n'a rien du peuple, tout de la populace. Le socialisme, concluait Proudhon, brûlera les livres de Victor Hugo. »

Une fois de plus, Proudhon se trompait puisque le socialisme fera de Victor Hugo l'un de ses saints patrons, le plus vénérable. Proudhon se trompait toujours sur les détails, jamais dans la pensée philosophique.

Cette pensée philosophique, qui prenait le contrepied des théories saint-simoniennes, allait à contre-courant de tout le progressisme de son temps. Il s'était heurté violemment à ce propos avec son jeune disciple allemand Karl Marx, venu lui rendre visite à Paris dix ans plus tôt et qui maintenant, de Londres où il s'était réfugié, lançait contre lui des diatribes assassines.

Hector n'acceptait pas non plus cette théorie de Proudhon qui lui paraissait étrange alors qu'elle était prémonitoire : « Le progrès moral n'est pas la suite naturelle et nécessaire du progrès économique. »

Que le luxe et l'argent soient immoraux, Hector l'admettait volontiers. Il suffisait de se lever à Paris de bon matin pour voir les sœurs de charité qui ramassaient à l'aube les restes du souper des riches, dans de petites charrettes, hâtivement, avant que n'arrivent les chiffonniers avec leurs lanternes, leurs crochets et leurs grands sacs. Des enfants prostitués rôdaient encore dans les ruelles sombres qui débouchaient sur les Grands Boulevards et des mendiants en guenilles dormaient sous les porches. Des troupeaux de rats, échappés des chantiers de démolition, leur passaient entre les jambes. Ce Paris de l'aube, après les orgies de la nuit, avait une odeur de pourriture et de salpêtre.

Justement Hector se persuadait que le progrès

industriel, entraînant une richesse économique, et un bien-être général de la population, effacerait tout ça.

« Vous confondez la civilisation humaine et la civilisation mécanique, lui répondait Proudhon. Il se produira fatalement un heurt entre l'homme-masse et la personne. »

Hector eût aimé que Proudhon soit plus près de lui pour discuter de ces problèmes qui, sans le convaincre, le troublaient. La présence de Proudhon, avec son heureuse famille, dans leur jolie maison de la barrière d'Enfer, quelle image nostalgique d'un bonheur paisible !

Le premier Napoléon, qui ne résistait jamais à afficher son cynisme, disait : « Dans une ville comme Paris, c'est le superflu des riches qui assure le nécessaire des pauvres. » Le second Napoléon, qui ne voulait jamais être en reste avec son oncle, contraignait donc ses ministres, ses financiers, tous ses grands seigneurs, à s'en tenir au luxe, comme à une obligation professionnelle. L'entourage de l'empereur devait être brillant, dépensier, prodigue, ostentatoire. L'Empire devait entretenir une fête perpétuelle. La « bonne société » devait être spéculative et s'en vanter.

Ces nouveaux seigneurs, qui s'entouraient d'une domesticité invraisemblable, avaient aussi réduit les fonctionnaires à la plus contraignante servilité.

Méprisés, misérables, n'osant se plaindre, cette misère gantée devenait abjecte à force d'obséquiosité.

Ce qui n'empêche que ces bureaucrates, comme tous les employés qui travaillaient onze heures par jour pour cinq francs, faisaient la queue la nuit, devant les mairies, à la veille des emprunts nationaux, pour y jeter leurs économies qu'ils espéraient tripler.

La spéculation emmenait donc toute la société dans une ronde folle qui ressemblait à ces danses macabres du Moyen Âge, où rois, évêques et moines étaient entraînés avec les gens de peu, et les gens de rien, vers un gouffre sans fond.

Hector en avait des cauchemars. Il les voyait tous, se donnant la main, les deux fils d'Hortense de Beauharnais, l'élu et le bâtard, et Haussmann, et Offenbach, et les généraux sanglants du sang des Arabes et du sang des insurgés de juin. Il les voyait tous, ricanant, avec leurs visages porcins et parmi eux Julie, dont ils déchiraient les vêtements, qu'ils dénudaient, qu'ils déchiquetaient, fauves hurleurs, ogres lubriques.

Hector se réveillait en sueur, s'imaginant qu'il suait du sang. Que Julie se soit jetée parmi ces immondes le révoltait, l'écœurait. Il se reprochait de ne pas l'avoir mieux comprise, mieux conquise.

Comment aurait-il pu pactiser avec cette répugnante cour impériale, comme le faisait Ambroise, sans en vomir de dégoût ? L'aspect répugnant des maréchaux et des généraux, avec leurs épaulettes, leurs képis, leurs galons dorés, ces militaires sur lesquels s'appuyait le régime et qui tous avaient conquis leurs décorations en sabrant de l'Arabe en Algérie. Saint-Arnaud, soudard d'une telle vulgarité qu'il en arrivait à gêner l'empereur. L'empereur qui, néanmoins, l'avait choisi comme ministre de la Guerre, avec mission de préparer le coup d'État... Saint-Arnaud et sa devise : « Les cosaques plutôt que la démocratie ! »... Saint-Arnaud qui proclamait le 2 décembre : « On tuera pour vous, honnêtes bourgeois. Ne vous mêlez de rien !... » Saint-Arnaud qui tant chevaucha, tant batailla et qu'une simple bactérie finit par réduire en pourriture en Crimée... Saint-Arnaud mort en 1854 bêtement du choléra, comme cet autre matamore, le maréchal Bugeaud qui, lui, portait comme immortel crachat sur sa poitrine la responsabilité du massacre de la rue Transnonain.

Aspect répugnant des cardinaux, des évêques, qui tous soutenaient l'Empire, comme ce monseigneur Sibour, ancien suppôt de Cavaignac et qui l'avait trahi pour se rallier à Louis Bonaparte, que Napoléon III avait nommé par conséquent sénateur, et qu'un prêtre, que l'on disait dément, mais qui avait plutôt pris à la lettre les invectives de Lamennais, venait d'assassiner.

Proudhon écrivait à Hector qu'il espérait bien que Courbet s'en prendrait un jour à ces curés, qu'il ferait une caricature de ces diables noirs enjuponnés, saouls comme des vaches. Hector imaginait mal Courbet dans ce rôle. Pour l'instant Courbet se mesurait à l'intensité des vagues. Ah ! que Courbet, lui aussi, lui manquait ! Mais outre la fureur de la mer, outre la compagnie du brave Boudin, se trouvait à Honfleur une Irlandaise, rousse elle aussi, comme Julie, qui retenait Courbet.

9.

AU moment où les situations se figent, toujours l'inattendu arrive.

Hector avait déjà quarante-trois ans. Sa vie, sa créativité, lui paraissaient bouchées. Il n'émettait aucun doute sur la validité de ses plans. Mais il n'était plus sûr de vivre assez longtemps pour que l'on admît leur bon sens. On le prenait pour un rêveur, un idéaliste ; lui se disait réaliste. Réaliste comme Courbet. Comme Courbet qui peignait vrai et que l'on accusait de mensonge.

Hector recevait peu de visites. Ses projets, désormais très commentés dans la presse, lui amenaient des curieux. Des curieux amusés, qui repartaient en riant.

Ce soir-là, il ouvrit à un homme grave, qu'il reconnut immédiatement. C'était l'un des ingénieurs des Pereire, avec lequel il avait travaillé et qui lui témoignait une compréhensive sympathie.

– Je vais m'embarquer bientôt pour l'Égypte, lui

dit cet homme. Nous sommes une équipe de polytechniciens que M. Ferdinand de Lesseps appelle auprès de lui pour participer à la percée de l'isthme de Suez. J'ai suivi tout ce que vous avez étudié depuis que vous nous avez quittés. L'athénée industriel est un chef-d'œuvre. Il se construira. Mais ce monde si neuf que nous édifions est encore empêtré en France de vieilleries. Vous arrivez trop tôt. En Égypte, avec nous, vous seriez à votre place. Ne me dites pas non. Je vous emmène.

Proposition bouleversante. L'Égypte, cet Orient fabuleux décrit avec tant d'éloquence par Chateaubriand et Lamartine ! Et ce canal de Suez que les saint-simoniens étudiaient depuis plus de dix ans ! Tout ce qui pouvait rapprocher les peuples, raccourcir les distances, enthousiasmait Hector. Comment ce canal qui, en reliant la Méditerranée à la mer Rouge, tracerait une voie plus directe vers l'Inde et la Chine ne l'exalterait-il pas ?

Hector serra les mains de son visiteur avec reconnaissance. Puis il s'inquiéta des dessous politiques qu'une telle entreprise impliquait. Sa joie avait été de courte durée. Se profilait derrière cet ingénieur l'ombre de Morny, le nuage noir de l'Empire.

– Notre équipe est composée uniquement de saint-simoniens, lui dit l'ingénieur. M. de Lesseps est des nôtres. Il a été consul en Égypte et le Père Enfantin l'avait convaincu que ce canal qui relierait l'Europe à l'Asie par un bras de mer serait la réalisation la plus humanitaire du siècle. Restait à convaincre le vice-roi d'Égypte. C'est chose faite. Nous n'arrivons pas en Orient en conquérants. Rien de commun avec la funeste expédition d'Algérie. Nous sommes invités par le vice-roi d'Égypte auquel nous devrons allégeance. Vous n'ignorez pas que l'idée du canal de Suez constitue un des points forts de ce que nos détracteurs appellent « l'utopie saint-simonienne ». Nous allons leur démontrer qu'il ne s'agit pas d'utopie. Ou plutôt que l'utopie est toujours facteur de progrès.

Hector résistait mal à cet enivrement qui le gagnait. Sa collaboration avec les ingénieurs des Pereire demeurait l'un de ses meilleurs souvenirs. Il se voyait bien là-bas, travaillant avec eux, dans une communauté d'idées qu'il ne rencontrait avec personne. Sinon avec Proudhon, mais Proudhon resterait exilé en Belgique combien de temps ?

– Et l'empereur, se soucia Hector, ne serons-nous pas tributaires de l'empereur ?

Il dit « ne serons-nous pas » ? Il se voyait donc déjà parmi eux.

– L'empereur, répondit l'ingénieur, bien sûr ne nous désapprouve pas. Son seul rôle, qui n'est pas négligeable, tient aux relations internationales. Il lui faut calmer l'Angleterre qui observe d'un mauvais œil cette intention de la France de créer une nouvelle route des Indes. L'empereur est favorable au canal. Vous savez qu'il s'est toujours dit saint-simonien.

– C'est une imposture !

– Moins que vous le pensez. Mais laissons cela. La Compagnie universelle du canal maritime de Suez, dont nous serons les employés, n'est pas une affaire d'État. Des actions émises par M. de Lesseps et le vice-roi d'Égypte la couvrent. Vingt mille épargnants français, souscripteurs de ces actions, seront nos véritables patrons.

Hector se laissa aller. Il eût pu encore argumenter, chinoiser et il comprenait bien qu'à force de pinailler il se serait retiré, une fois de plus, dans une mésentente stérile. Il se laissait aller à ce rêve dans lequel son visiteur impromptu l'entraînait. Il devait bien convenir que le second Empire avait misé son plan économique sur les saint-simoniens. Réseau ferroviaire, banques, journaux, on les trouvait partout. Ils œuvraient pendant que d'autres favoris du régime bâfraient. Aux malfaisances de la concurrence, à l'antagonisme des intérêts, ils opposaient une organisation rationnelle du travail. Pour eux, l'avenir de l'industrie serait vertueux. Ils voyaient la société future comme une armée disciplinée dont les polytechniciens seraient les officiers en uniforme. Et l'organisation des chemins de fer, dont ils étaient les seuls maîtres, se ferait dans cette perspective : des employés en uniforme, avec des grades, des galons sur les manches, des étoiles sur les képis.

Un voyage au Moyen-Orient n'avait rien d'aventureux. Toutes les semaines, un bateau à vapeur quittait Marseille pour arriver huit jours plus tard à Alexandrie. Hector et ses compagnons accomplirent une traversée sans histoire.

On le présenta à M. de Lesseps qui le reçut aimablement. Pendant quelques semaines, il travailla dans le bureau des ingénieurs. Puis on l'envoya en mission.

Habillé en Turc, accompagné d'un domestique, il parcourut à dos de chameau les étendues du Nil à la mer Rouge. Expédition merveilleuse où, pendant un mois, il fut totalement coupé du monde occidental. Au rêve industriel du canal succédait un autre rêve, fait de lenteur et de sensualité. La plaine cultivée dépassée, il se trouva dans le désert, suffoqué par le vent brûlant, les yeux blessés par les bourrasques de sable. Sa petite équipe croisait de temps en temps de longues caravanes qui passaient sans bruit. On ne voyait sur le sol que les sentiers formés par la marche des montures. Il dut traverser un défilé aux gorges si étroites qu'on devait s'y glisser à pied en tenant les chameaux par le licol. Quelques oasis aux masures de pierre, des chèvres, des puits presque asséchés, il prenait des notes, à propos des postes de relais qu'il serait nécessaire de construire, des puits qu'il faudrait creuser, des routes à imaginer pour le transport des engins. En même temps, ce travail qui relevait plus de celui d'un ingénieur que d'un architecte, lui paraissait assez vain. Isolé dans le désert, avec son domestique et ses chameliers, il se prenait à douter de l'opportunité de bouleverser une terre aussi vierge par un afflux d'outils, de machines, d'appareils qui allaient blesser ce silence. Car, au Caire, Hector avait découvert la civilisation ottomane et en demeurait bouleversé.

Ses premières impressions de la ville musulmane avaient été défavorables. Trop de cris, de chiens aboyeurs dans la nuit, de puces sur les couchettes, trop d'aveugles titubant dans les rues, trop de puanteur, d'odeurs de friture, de parfums entêtants, trop de fellahs en haillons, trop de femmes hermétiquement voilées dont on ne voyait que les yeux noirs, agrandis par les fards, entre les deux trous des cagoules, trop d'esclaves noirs battus comme en se jouant, trop d'exubérante paresse, trop de mendiants, trop de bakchichs inlassablement sollicités... Hector eut une première réaction de répulsion pour ce monde putride.

Puis il se prit à mieux regarder toutes ces femmes qui grouillaient dans les rues, les bazars, les jardins, les unes à pied, les autres juchées sur de petits ânes. Il remarquait les anneaux de leurs chevilles, la manière dont elles dénudaient le dessus de leur épaule. Aucune ne ressemblait à Julie et toutes lui rappelaient Julie. Le regret de Julie lui mordait le cœur. Le regret de Julie lui faisait prendre cette Égypte en exécration.

On l'envoya à Matarée, relever les traces du canal d'Hadrien, car les Romains avaient déjà pensé creuser un canal. Les ornières des roues de fer des voitures de Suez en effaçaient les vestiges. Là, Hector pensa à la vanité des entreprises humaines et, à partir de ce moment, il se mit à mieux comprendre le monde de l'islam.

Il s'aperçut qu'il n'avait rien vu du Caire, trop distrait par les taffetas légers des femmes, par les négresses aux robes bleues et aux colliers de piastres d'or, par les petites filles nubiles entièrement nues, par les âniers aux perpétuels sourires qui embrassaient les pièces de monnaie qui leur étaient jetées.

Les rues étroites comme des couloirs, les palais et les maisons laissés à l'abandon et qui s'écroulaient inexorablement, les portes qui fermaient chaque quartier, les femmes des harems que l'on entendait caqueter derrière les moucharabiehs grillagés, tout ce monde si nouveau, si insolite, si exotique, lui avait masqué une vérité architecturale qui, tout à coup, l'éblouissait.

Ces rues étroites, ces venelles qui se faufilaient entre les maisons, étaient d'une telle opposition à la doctrine de l'angle droit et de la voie rectiligne d'Haussmann qu'il n'en avait pas tout de suite apprécié la poétique. En réalité, ce chemin de l'âne, cet urbanisme labyrinthique plein de surprises, de culs-de-sac, de détours, et soudain d'échappées sur un grand espace vide qui servait épisodiquement de marché, quelle leçon d'architecture !

Sa canne métrique en main, il se réjouissait de la justesse de ces mesures, de ces maisons toutes semblables, de mêmes dimensions, construites avec le même matériau, de tous ces quartiers à l'identique. Il voyait dans cette architecture qui paraissait spontanée la confirmation de son idée d'une architecture industrielle conçue sur le même module.

Les boulevards plantés d'arbres de M. Haussmann lui avaient toujours paru une aberration. Les arbres cachaient l'architecture. Et si elle était belle, pourquoi la cacher ? Au Caire, pas d'arbres dans les rues. Les arbres étaient plantés dans des jardins privés, derrière de hauts murs, comme ces squares anglais qu'il aimait.

Il demandait parfois à entrer dans les maisons, ce qu'on lui refusait souvent. Mais le peu qu'il put y voir le convainquit encore de la validité d'un aménagement réduit à l'extrême. Les pièces qu'on lui montrait étaient d'une uniformité absolue et ne contenaient aucun meuble, sinon des lits et des tables, toujours mobiles. Il appréciait cette séparation du dehors et du dedans, marquée par l'abandon des chaussures, aussi bien à la maison qu'à la mosquée.

Il retrouvait dans cette architecture arabe l'idéal athénien de la modestie. Pour les Égyptiens, lui disaient ses amis ingénieurs, la richesse expose l'âme à la perdition. Regardez les palais des sultans, ils sont simples, jamais monolithiques. Ils répugnent au monumental.

Rien de plus étonnant pour un Occidental habitué à l'agitation fébrile des villes, que cette paix, cet ensommeillement, qui s'étendait sur Le Caire à midi. La sieste durait plusieurs heures et rien ne pouvait l'interrompre.

Mais encore cet assoupissement collectif correspondait-il à un besoin, justifié par le climat torride. Plus étonnants encore ces hommes que les burnous de laine blanche enveloppaient de la tête aux pieds, comme des linceuls, et qui demeuraient toute la journée immobiles, face au désert, étendus sur des tapis, fumant leurs narghilés.

L'Occident avait désappris la rêverie et la méditation.

Entre le désert et le Nil, entre le sable et l'eau, cette ville où le plus grand tumulte se conjuguait en une étrange harmonie, fascinait de plus en plus Hector. Il en oubliait le canal qui, finalement, devenait dérisoire. La magie de l'Orient le gagnait, le détachait peu à peu de Ferdinand de Lesseps, des ingénieurs polytechniciens. Le canal lui apparaissait comme une blessure faite au désert. Rien de commun avec la conquête de l'Algérie, lui avait dit son ami. Il en doutait maintenant. Ne constituaient-ils pas, eux, techniciens pacifiques, l'avant-garde des gens de la finance qui allaient s'abattre sur ce peuple désarmé comme des vautours, et qui construiraient leur empire autour du canal en y débarquant, pour le défendre, leurs armées et leurs prêtres ?

Les Arabes ne venaient-ils pas proposer à la Compagnie de lui vendre des esclaves qu'ils amenaient de Nubie en troupeaux ? Des milliers de nègres restaient parqués au sud du Caire, que l'on marchandait. Dans un enclos, il n'y avait que des enfants. Dans un autre, des négresses de premier choix.

Pour creuser le canal, dans quelques années, lorsque les plans seraient définitivement établis, il faudrait des milliers de mains à la pioche et à la pelle. Les Arabes patientaient à la porte de la ville. Ils patienteraient tout le temps nécessaire. Le jour venu, ils livreraient leurs proies, pour un prix que l'urgence rendrait avantageux.

Hector savait qu'il ne pourrait pas supporter cet épisode. Il repartirait avant que le canal ne se creuse. N'était-ce pas d'ailleurs dans son destin de toujours s'adonner avec passion aux esquisses et d'être écarté au moment de la réalisation ?

Au fur et à mesure qu'il s'habituait à la vie du Caire, qu'il pénétrait un peu plus dans les méandres de cette civilisation musulmane dont il ignorait tout, il se sentait pris par une sorte de fascinante magie.

Sans doute son assiduité aux représentations des almées y était-elle aussi pour quelque chose. Ces femmes aux vêtements transparents, qui dansaient la nuit à la lueur des torches de bois résineux, entourées de musiciens et de chanteurs, des petites cymbales au bout des doigts, le captivaient par leurs œillades et leurs roulements de hanches. Coiffées de calottes dorées, elles s'élançaient au milieu des spectateurs accroupis sur le sol, vives, joyeuses, lascives.

Les almées le ramenaient mélancoliquement dans l'atelier de Courbet. Une même sensualité ambiguë, ici et là. Il écrivait de longues lettres à Courbet dans lesquelles il racontait les merveilles de l'Égypte. Et, parmi ces merveilles, les almées occupaient une grande place.

« Ces naïves filles de la nature, lui disait-il, ne voilent point leurs émotions et à peine leur corps. Vraies bacchantes antiques, elles réalisent chez les musulmans les rêves d'amour avec les divines houris promises par Mahomet. Il semble qu'elles n'aient que le souffle d'un moment à dépenser sur la terre. »

Il n'osait demander à Courbet des nouvelles de Julie, Julie sorte d'almée pour le gratin parisien.

Alors, quand Julie devenait trop présente, trop étouffante dans son souvenir, quand les almées n'arrivaient pas à la faire oublier, Hector sollicitait de la Compagnie quelques jours de congé.

Il quittait alors l'Égypte des vivants pour rejoindre l'Égypte des morts.

La nécropole de Gizeh, toute proche du Caire, avec ses pyramides de Khéops, Khéphren et Mykérinos, l'attira beaucoup dans les premiers temps de son séjour. Ces figures, d'un géométrisme absolu, sans aucun décor, lui paraissaient la quintessence de l'architecture.

Puis il navigua sur le Nil de plus en plus loin. Il loua une cange et s'embarqua pour une durée indéterminée. C'était un avantage de l'Orient que ce temps étiré, souple, incertain. L'admiration et la confiance que lui portaient ses amis ingénieurs lui permettaient de telles dérogations. Ils jugeaient également utiles les relevés de monuments antiques que dessinait très scrupuleusement leur architecte.

Il embauchait pour mener sa cange un capitaine et six hommes d'équipage. Un drogman lui servait de guide et d'interprète. Pour un mois, cette expédition ne lui coûtait que la moitié de son salaire. Muni d'un firman délivré par le chancelier de France, de provisions diverses : biscuits, riz, fruits secs, fromages, sucre, et d'une petite pharmacie, Hector explora pratiquement tous les sites antiques. De Thèbes, de Karnak, de Philae et même d'Ibsamboul (que l'on appelle aujourd'hui Abou Simbel) aux temples rupestres alors pratiquement inconnus, Hector ramenait de grandes planches où il donnait des transcriptions précises des ruines, tentant aussi des reconstitutions à l'aquarelle.

Il s'émerveilla de trouver dans le sable les traces souvent peu visibles de cités ouvrières qui anticipaient celles qu'il ambitionnait de construire en France.

Car, dans ces vallées des Morts, il avait fallu bâtir

des cités pour les ouvriers qui travaillèrent pendant des décennies à l'édification des tombeaux. À Memphis, chaque souverain ajouta un quartier en allant vers le sud. Hector les mesura et s'aperçut que cette ville évanouie devait s'étendre sur cinq kilomètres, de Gizeh à Saqqarah, et que Thèbes, avec ses quinze kilomètres de monuments, regroupait en réalité cinq ou six villes, dont Karnak, Louqsor et la Vallée des Rois.

L'Égypte antique l'absorbait à tel point qu'il en oubliait l'Égypte moderne ; il en oubliait surtout le canal pour lequel il ne travaillait plus que distraitement.

Il s'attarda désormais longtemps, trop longtemps, dans les cafés, à proximité des mosquées, à l'ombre douce des platanes, buvant lentement, comme les Égyptiens qui l'entouraient, des petites tasses de café ou des limonades. Il errait dans les boutiques des bazars, devant les étalages des potiers, des dinandiers, des marchands de tapis arméniens, des changeurs grecs aux tarbouches rouges. L'utilisation judicieuse des matériaux bon marché, dans cette architecture populaire, le poussait à réfléchir. La terre, la boue, la paille et ces cannes séchées qui servaient de plafond aux ruelles des souks. Pas de fer, pas de métal nulle part. Que le Crystal Palace et les parapluies des Halles étaient loin !

Il découvrait le parfum prégnant de la mélancolie, se complaisait à errer dans la ville des Morts, entre

Le Caire et Matarée. La simplicité, l'austérité des tombes, la profusion des coupoles, l'ombre des sycomores énormes et ce silence qui préludait à l'aridité de ce désert si proche, tout cela le retenait de plus en plus.

Si bien que l'agitation qui saisissait Le Caire à la tombée de la nuit, à l'heure où, à Paris, plus personne ne s'aventurait dans les rues, et qui atteignait son paroxysme à minuit, le lassa peu à peu. Comme le lassaient les criailleries des vendeurs à l'encan, la mélopée des conteurs d'histoires, les sons aigus des joueurs de cithare et de luth. Le bariolage des costumes, les cavaliers aux chevaux caparaçonnés précédés de coureurs qui leur frayaient en hurlant un passage dans la foule, la peau noire des Nubiens seulement vêtus d'un pagne, toute cette féerie orientale l'ennuyait.

Il ne prenait plus goût qu'à ses randonnées savantes dans l'Égypte antique. Les ingénieurs du canal, qui conservaient pour lui la plus attentive amitié, lui paraissaient choir dans un monde pervers. Il arrivait de plus en plus de Français au Caire et cette invasion lui donnait des envies de fuite. Ces officiers affectés dans les écoles militaires égyptiennes, ces techniciens envoyés pour diriger des fabriques, n'était-ce pas le début de la colonisation qu'il redoutait ?

Il comprit qu'il lui fallait repartir en France. Bien qu'il eût peu contribué aux travaux préliminaires du canal, M. Ferdinand de Lesseps ne lui octroya un congé qu'avec la promesse qu'il reviendrait. Jamais Hector n'avait reçu autant de confiance et de compréhension.

Bizarrement, pendant les longs jours de la traversée, alors qu'accoudé au bastingage il regardait distraitement l'infini de la mer, de son séjour heureux en Égypte ne lui revenaient que des images éparses : les longues et fines vergues des canges amarrées derrière le bazar ; une jeune fille de la Casbah qui vannait des fèves ; des pélicans et des cigognes immobiles sur un îlot de sable ; le drapeau jaune de la peste hissé au sommet d'un village alors qu'il remontait le Nil ; les haies de myrte, les jasmins, les seringas, la mosquée de Méhémet Ali, les cassolettes parfumées et les flacons d'eau de rose.

Il lui semblait que si un regret devait lui rester ce serait celui des tresses, des épaules et des hanches des almées. Les anneaux de leurs jambes souples qui s'entrechoquaient, les clochettes qu'elles agitaient, les flûtes et les tambours qui accompagnaient leurs danses, cela il ne l'oublierait jamais. Elles étaient arrivées, avec leur insouciance, leur joyeuseté de fillettes, leurs agaceries mutines, leur sensualité âcre, non pas à effacer Julie, mais au contraire à aviver son souvenir. Julie à laquelle, par la magie du désert, il accordait au loin, très loin, le sourire énigmatique du Sphinx.

10.

RÉINSTALLÉ dans son logement-atelier de la rue du Sentier, Hector, tout auréolé de son engagement par M. de Lesseps, fut pendant quelques semaines une curiosité. Comme les journaux à un sou révolutionnaient la presse, multipliant les tirages par six depuis que les ouvriers pouvaient acheter un quotidien, nombreux les journalistes venant interroger Hector à propos du canal qui espéraient recueillir des informations inédites sur les travaux prodigieux engagés par la Compagnie.

Hector n'avait aucune envie de parler du canal. Les économies réalisées en Égypte lui permirent de monter un atelier de gravure sur bois et métal afin de tirer des estampes de ses dessins des monuments antiques.

Les chroniqueurs qui escomptaient recueillir d'Hector des révélations futuristes, eu égard à la réputation qu'il s'était acquise à ses dépens, rencontraient un égyptologue qui rehaussait à l'aquarelle des planches où l'on ne discernait que des ruines. Ils repartaient déçus, avec la sensation qu'Hector, une fois de plus, les bafouait. Les articles qu'ils rédigeaient manquaient d'amabilité.

Ils attirèrent néanmoins Ambroise, qui arriva un matin, avec une allure de ministre, une canne à pommeau d'ivoire à la main.

En toute simplicité, Hector lui montra ses relevés de monuments antiques. Ambroise, bien qu'averti par la presse, croyait à une facétie d'Hector. Que ce dernier jouât la même comédie avec lui l'étonna.

– Et le canal ? Pourquoi me caches-tu ce que tu as imaginé de grandiose...

– Le canal ? Bah ! Les ingénieurs feront ça très bien. Regarde. Dans cette architecture vieille de plus de trois mille ans on retrouve toute la mathématique et l'esprit de géométrie de nos collègues qui conçurent au siècle dernier l'architecture de la Raison. Claude Nicolas Ledoux, Boullée... Des pyramides, des cubes... Et là, regarde, dans l'architecture populaire arabe d'aujourd'hui, toujours des cubes, pas de décor et plus de toits. Des terrasses...

– Tu ne vas pas faire des toits-terrasses dans notre climat pluvieux !

– Pourquoi pas ? Il suffit de bien isoler le toit.

– Et pour quel résultat ? Une terrasse mouillée les trois quarts de l'année, belle initiative ! Enfin, Hector, tu te moques du monde. M. de Lesseps t'invite à participer au plus grand chantier du siècle, le plus indiqué pour satisfaire ton imagination... tu reviens avec des antiquités !

– Avec mon atelier de gravure, je vais tirer des planches de mes relevés et publier un album, contribution plus utile à l'histoire de l'humanité que si j'étais resté en Égypte à étudier des volumes de terrassement dans le bureau des ingénieurs.

– On se gausse de toi dans la presse. On dit que tu nargues les gens de bien. Ce n'est pas ce que l'on attend de toi que cet album, aussi beau soit-il. Car tes planches, c'est vrai, sont fort belles. Tu pouvais repartir en fanfare après ton séjour chez Ferdinand de Lesseps. Qui sait, tes projets les plus technologiques seraient vus d'un autre œil grâce à ta participation aux travaux du canal. L'athénée industriel, par exemple, c'est tout à fait dans l'air du temps. Il suffirait que tu montres un peu de diplomatie.

– Que devient Julie ?

Interloqué, gêné, Ambroise balbutia :

– Tu m'en veux ?

– Non. Julie est libre. Toi aussi. Enfin non, toi tu es moins libre car je suppose que tu n'as pas quitté Sophie.

– Julie s'est servie de moi comme marchepied. Je le savais. Elle est maintenant ce qu'elle voulait être, une grande courtisane. Bien sûr, mon ménage n'en a subi aucun trouble. Le jour où je l'ai présentée au baron Vadé, moitié par imprudence, moitié par jeu, elle a compris tout de suite qu'il ne lui fallait pas laisser passer une occasion pareille. Il a été vite ensorcelé, le pauvre benêt. Elle le mène par le bout du nez, comme on dit pudiquement. Tu te souviens de la plaine Monceau, de ses taudis ? Tout cela est rasé. L'ancienne folie du duc de Chartres est lotie dans sa moitié. Il s'y construit de superbes demeures, tout près du parc qu'aménage M. Alphand, dans le goût anglais de l'empereur. Julie veut son hôtel particulier dans ce coin-là. Elle l'aura. En entretenant Julie, le baron Vadé présume qu'il a gravi plusieurs rangs dans l'échelle sociale. La fortune se mesure désormais à la couleur des jarretières et au galbe des cuisses. Lorsque, comme le baron Vadé, on a amassé tant d'argent (et d'or), lorsque l'on a investi dans l'achat de rues entières toutes neuves, de mines, de terres arables, qu'ambitionner sinon collectionner des objets rares : des tableaux, des chevaux pur-sang, des femmes impures ? Et surtout, en plus de sa légitime et de quelques maîtresses d'occasion, de s'en approprier une seule, dite inaccessible, ayant néanmoins fourni son pedigree par le biais d'amants célèbres...

– Julie a collectionné tant d'amants célèbres ?

– Du temps où je lui avais aménagé un salon, elle sut se faire désirer sans céder trop facilement. Elle a, bien sûr, beaucoup parlé de Courbet et des nus pour lesquels elle a posé. Ainsi valorisa-t-elle habilement son corps que les crinolines n'avantagent pas. Quelques passades avec des familiers de la Cour, habilement choisis. Maintenant que le baron Vadé la hisse à un rang d'hétaïre, elle lorgne du côté de Morny. Juste de quoi rendre suffisamment jaloux son sigisbée. Il lui accordera tout ce qu'elle veut. Ces nababs sont fous. Tu as entendu parler du comte Popper ? Eh bien, ça y est, Valentine d'Alençon l'a mis sur la paille. Ruiné comme un gueux. Et la Valentine, elle, se pavane au bois de Boulogne, dans une calèche où elle invite souvent Julie. La rousse et la blonde, quel duo !

Ambroise prit entre ses mains l'une des planches aquarellées, la maintint verticale devant ses yeux.

– Oui, en plus tu pourrais être un grand peintre !

– Bah ! Il ne s'agit que de documents.

– Cette tour pointue, ces balcons comme ciselés, cette mosaïque sur ce grand mur... Puis, dans la demi-obscurité de la rue, cette foule sombre à laquelle tu as donné son mouvement et sa couleur...

– C'est la cour de la mosquée El-Moyed, au Caire.

– Tu pourrais exposer au Salon.

– Alors qu'on s'y moque de Courbet, que l'on y refuse ses œuvres. J'aurais honte.

Ambroise reposa la vue de la mosquée El-Moyed, regarda attentivement Hector, comme s'il reconnaissait tout à coup son vieil ami, lui posa les deux mains sur les épaules.

– Hector, mon cher camarade. Sans doute ne me croiras-tu pas : si j'ai cédé aux avances de Julie (admettras-tu que ce n'est pas moi qui l'ai cherchée ?), c'est qu'avec elle je te retrouvais. D'ailleurs, elle me parlait si souvent de toi...

» Tu sais, sa marotte c'est de ressembler à Hortense Schneider. Elle ne manque pas une représentation des Bouffes-Parisiens. Lorsque je l'installais, elle m'en voulait que le salon dont je la dotais ne fût pas assez huppé pour que la Schneider le fréquente. Maintenant, le train de vie que lui offre le baron Vadé lui donne toutes les possibilités. Seulement, aucune courtisane n'arrive à la cheville de la belle Hortense qui, en plus d'un beau cul, possède une voix sublime. Toutes les cocottes rêvent de celle qu'elles appellent méchamment « le Passage des Princes », sous prétexte que toutes les têtes couronnées qui débarquent à Paris veulent passer par la porte que la Schneider leur ouvre complaisamment entre ses cuisses. L'empereur lui-même, de retour de sa campagne d'Italie, a exigé d'Offenbach une représentation exceptionnelle d'*Orphée*.

» Elles enragent, ces amazones du Bois et d'ailleurs, de s'apercevoir que la Belle Hortense joue sur les deux tableaux, cantatrice adulée à la ville et putain de grand luxe au boudoir.

Agacé par le bavardage d'Ambroise, et surtout par l'image flétrie qu'il brossait de Julie, Hector dit brusquement :

– Allons, le temps me manque. Il me faut finir mon album.

– Le temps te manque ! Toi dont le temps n'est régi par aucun délai de chantier...

– Mon chantier est toujours ouvert, répliqua Hector sèchement. Mon chantier n'a pas de limites. Je ne réponds pas à des commandes, sinon à celles que je me donne. Et je n'aurai jamais assez de ma vie pour les mener à bout.

Ambroise se recoiffa de son haut-de-forme, prit sa canne à pommeau d'ivoire et repartit, le dos voûté d'une tristesse infinie.

La publication en album du *Panorama de l'Égypte antique* apporta à Hector plus de considération que tous les projets personnels qu'il présentait en vain. Considération et respect. Il atteignait du même coup une notoriété qui lui parut reposer sur un malentendu. Néanmoins, le célèbre photographe Nadar, qui ne l'aurait sans doute pas connu sans cette publication, et qui désirait se faire construire un atelier sur les deux derniers étages d'un immeuble, au 35 du boulevard des Capucines, accepta les plans d'un petit « palais de cristal » qu'Hector lui concocta. C'était sa première réalisation en métal et verre, conforme à ses vœux, depuis les serres et autres jardins d'hiver édifiés avec Ambroise à leurs débuts.

L'album du *Panorama de l'Égypte antique* s'étant

très bien vendu, Hector rangea ce qui restait de l'Égypte dans un tiroir et n'y pensa plus.

Toute son énergie, toute son imagination, furent de nouveau consacrées à concevoir des œuvres que personne ne lui demandait et qu'il présentait avec une telle insistance, une telle certitude d'être dans la vérité, qu'elles importunaient les services publics qui les rejetaient brutalement.

Ne proposait-il pas de démolir le palais des Expositions des Champs-Élysées, d'établir à la place un jardin couvert et un marché aux fleurs, afin de marier les Champs-Élysées à l'esplanade des Invalides sur une large voie et par un pont ? Une fois de plus, son plan arrivait trop tôt puisqu'il sera réalisé dans la même perspective pour l'Exposition universelle de 1900.

Au fur et à mesure que Charles Garnier dévoilait ses ébauches pour l'Opéra de Paris, Hector s'évertuait à les dévaloriser par des diatribes qu'il envoyait aux journaux et que ces derniers malheureusement publiaient. Cette critique ne lui suffisant pas, il s'acharna à étudier lui-même un projet de théâtre qu'il assurait rentable, au contraire, disait-il, de cet « outil à ruine » qu'est la salle de spectacle conçue par Charles Garnier.

D'un volume polygonal, comme celui des cirques qu'il aimait tant, le théâtre idéal d'Hector se démarquait des habitudes qui voulaient que la salle fût opposée à la scène. Il supprimait les éléments de prestige social du théâtre bourgeois en éliminant promenade et foyer et donnait toute l'importance à une machinerie démontable qui mettrait en mouvement une estrade tournante sur laquelle se placeraient les spectateurs pouvant ainsi admirer les tableaux de trois plateaux, sans se déplacer.

Jamais encore Hector n'avait conçu une architecture aussi révolutionnaire, tant dans la technicité que dans la rupture sociale. Si, jusqu'alors, ses projets avaient beaucoup amusé, en dévoilant ses batteries avec ce théâtre, il apparut comme dangereux. Toujours aussi fou, mais fou dangereux. La persistance avec laquelle il lançait dans le Paris quadrillé par Haussmann ses propres conceptions architecturales et urbanistiques, comme des boules dans un jeu de quilles, finissait par arriver jusqu'au préfet de Paris, qu'elles exaspéraient.

– Qu'on me débarrasse de ce chien qui vient toujours me mordiller les chausses ! hurlait Haussmann.

La valetaille de la préfecture s'empressa de rassurer celui qu'elle appelait en catimini « Osman Pacha ».

– Nous le renverrons en Égypte, dit le chef de cabinet.

– Il existe un moyen beaucoup plus sûr de le museler, renchérit le jeune secrétaire particulier d'Haussmann. Laissez-moi faire, Excellence, les rieurs seront de votre côté.

Hector ne passait plus ses soirées au Café Anglais, de peur de voir Julie descendre d'un cabinet particulier.

De l'Égypte, il avait retenu le goût des promenades, des flâneries au bord du Nil, de la quête du pittoresque. Maintenant, à Paris, de nouveau l'envie de sortir de son logement-atelier et d'errer au hasard dans tous ces quartiers éventrés qu'il reconnaissait mal le saisissait brusquement, comme un coup de sang.

Les omnibus, traînés par trois chevaux, étaient très nombreux, sur quarante lignes. Hector les empruntait pour aller jusqu'à la limite des forts, ces seize forts dressés le long de la muraille qui ceinturait Paris. Là s'étendait ce que l'on appelait la zone, des surfaces sordides où les rues de la ville se perdaient dans des terrains vagues et où des taudis se faufilaient entre les hauts tas de charbon. Hector y retrouvait la désœuvrance et la misère des pourtours du Caire, en plus sinistre. Le soleil donne une grâce aux haillons. Le ciel gris, la pluie, le froid, exaspèrent la misère, la rendent insupportable. Il y avait dans cette foule aux pieds nus installée précairement aux confins du désert une sorte de fatalisme. Elle tendait la main, sollicitait une aumône, sans acrimonie, sans haine. Dans la zone parisienne, l'hostilité, le ressentiment, l'exécration jaillissaient de tous les regards. On sentait que cette misère refoulée là, cette plèbe chassée des quartiers populaires par les travaux d'Haussmann, campait aux portes de Paris comme une horde barbare et qu'un jour, si l'Empire qui réservait le cœur de la ville à la richesse n'y prenait garde, ces parias déferleraient sur les beaux quartiers, la vengeance au ventre.

Les services de M. Haussmann en pressentaient le danger puisqu'ils tentaient de fixer cette population hors les murs, en édifiant des bâtiments dans la zone, qui offraient des petits logements de quinze à vingt mètres carrés, séparés par de minces cloisons. Un long corridor traversait ces immeubles, comme un déambulatoire de prison, par lequel le concierge pouvait surveiller les locataires. Pas d'eau courante, sinon, au pied de l'immeuble, des cabinets d'aisances pour dix ménages, des poêles en fonte pour se chauffer au bois.

Hector pensait à son familistère, sans doute multiplié s'il avait consenti à pactiser avec le pouvoir. N'était-il pas coupable de trop de sévérité ? Sévérité envers lui-même et envers les autres. Les sans-abri, les mal-logés, ne payaient-ils pas son excès de vertu ? Peut-être, s'il l'avait voulu, aurait-il convaincu le préfet de Paris de la nécessité de construire en toute hâte un habitat populaire pour les expulsés des nouveaux quartiers centraux réservés aux riches. S'il devait en croire Ambroise, Morny n'approuvait-il pas la méthode qu'il avait mise au point pour le familistère ?

L'Empire, après tout, n'avait pas que des défauts.

Ses ingénieurs ne venaient-ils pas d'achever deux cent vingt-huit kilomètres d'égouts dans la capitale, et cela malgré les protestations des propriétaires qui refusaient ces assainissements, considérant les bacs à ordures comme « d'insupportables entraves étatiques à la liberté » ? Ces mêmes propriétaires qui s'insurgeaient contre l'obligation du ravalement des maisons dont ils disaient qu'il s'agissait de « socialisme inconscient ». Ces mêmes propriétaires qui protestaient contre l'installation de crèches qu'ils accusaient d'être dangereuses pour la famille « en relâchant les liens qui rattachent l'enfant à la mère ».

L'empereur, quoi qu'on en dise, se souvenait d'avoir été l'auteur, au temps de son exil, de *L'Extinction du paupérisme.* Malgré sa couronne, son palais, ses chambellans, sa folie de conquêtes guerrières, il lui restait quelque chose de l'enseignement saint-simonien et proudhonien qui l'avait formé. L'empereur était moins réactionnaire que ceux qui l'avaient hissé au pouvoir. Oui, mais n'était-il pas devenu leur prisonnier ? Il avait assis sa puissance grâce à eux et maintenant ils le tenaient. Les banquiers, les industriels, les agioteurs, le grand commerce, plus puissants que lui, ne le considéraient-ils pas comme un pantin dont ils tiraient les ficelles ?

Hector se reprochait d'avoir cédé un moment, en pensée, à la tentation du diable. Non, l'Empire était mauvais. L'Empire était funeste. Et ceux qui se laissaient prendre à ses mirages progressistes périraient avec lui.

Périraient avec lui... Ambroise happé par le Moloch. Et Julie ?

Julie...

Le désarroi gagnait Hector. Il ne se plaisait plus dans son logement perturbé par les bruits du boulevard. Tout près, au 32 de la rue Richer, un nouveau grand magasin s'ouvrait, dévolu au mobilier : « Aux Colonnes d'Hercule ». Il y avait trop d'agitation, trop de perturbation dans son travail qui, toujours refusé, finissait par paraître vain. La nostalgie du désert d'Égypte le poignait, et le regret des si sensuelles almées.

Il sortait du centre de la ville, gagnait les petites collines surmontées de moulins, entre Belleville et la Villette. Des carrières de plâtre, dites carrières d'Amérique, y formaient des galeries souterraines d'où s'échappaient des gamins espiègles qui se moquaient de sa tenue bourgeoise.

Oui, pour eux il était un bourgeois, alors qu'il n'arrivait pas à se dépêtrer de son complexe de petit pauvre de la Mouffe.

Il parcourait avec nostalgie les derniers quartiers ouvriers qui subsistaient encore dans Paris : les menuisiers du faubourg Saint-Antoine, les bronziers des Filles-du-Calvaire, les tanneurs du faubourg Saint-Marcel, les fondeurs de Grenelle, les bimbelotiers du Temple. Il reconnaissait les odeurs, les bruits, l'accent de son enfance. Il eût aimé s'installer parmi eux. Il se prenait même à rêver d'une vie de famille, comme celle de Proudhon qui l'avait tant ému, une vie de famille toute simple, avec Julie.

Le pli cacheté que vint lui remettre un sergent de ville, à son adresse de la rue du Sentier, lui parut d'abord une erreur. Pourtant son nom, son adresse, son titre d'architecte, étaient bien libellés en grosse écriture ronde, sur l'invitation à une réception à l'Hôtel de Ville. Portée par un fonctionnaire, l'invitation ne pouvait être une supercherie. Une bouffée de joie l'envahit. Reconnaissait-on, enfin, ses mérites, son invention, sa méthode ? Puis il s'en voulut de cet orgueil. Il flaira le piège. Ambroise l'avait peut-être placé sur une liste ? Évidemment il ne répondrait pas. À quoi bon ?

Il posa le carton dans un classeur et n'y pensa plus. N'y pensa plus pendant un court moment. Puis il eut envie d'en relire le libellé. Oui, c'était bien lui, l'invité. Aucun doute. Et pourquoi n'irait-il pas ? Que risquait-il ? Rien. Personne ne le reconnaîtrait. Les réceptions d'Haussmann emplissaient tellement la presse de leur féerie qu'il pourrait être amusant de les observer de près. Et l'aménagement intérieur de l'Hôtel de Ville valait sans doute le déplacement, pour toute la fatuité de son luxe tapageur. On le disait devenu palais des Mille et Une

Nuits depuis le règne du baron. Les journaux citaient avec admiration l'éclairage avec ses 2 389 becs de gaz et ses 9 714 bougies.

Donc, Hector se rendit à l'Hôtel de Ville, au jour annoncé.

Dès son arrivée sur l'ancienne place de Grève, dont il ne restait plus que le souvenir, depuis que le préfet en avait quadruplé la surface, il s'arrêta, stupéfait par la profusion des lumières à toutes les fenêtres. Il ne reconnaissait pas l'Hôtel de Ville, si violemment illuminé qu'il semblait avoir pris feu. La file des invités se glissait sous des tonnelles garnies de feuilles d'or. Des sortes de grottes, entourées de plantes exotiques, métamorphosaient les porches. Ces porches masqués, Hector les revit soudain avec violence, tels qu'ils étaient en juin 1848, teintés du sang des victimes de la Révolution et du rouge des drapeaux. Il revit, dans une angoisse qui aurait dû lui faire rebrousser chemin, mais qui le cloua sur place, les cadavres des chevaux et tous ces hommes et ces femmes du peuple surexcités qui s'engouffraient sous les voûtes, armés de bâtons et de piques. Ce palais assailli, malmené, était bien devenu cet « Hôtel de Ville pour la capitale d'un vaste et puissant Empire » que ses professeurs de l'École des beaux-arts lui donnèrent comme sujet de diplôme, et qu'il refusa.

Aujourd'hui, la curiosité le poussait. Il se laissa entraîner par ce flot d'invités qui envahissait la place.

Beaucoup de militaires aux uniformes chamarrés d'un abus de décorations pendantes, de croix, d'insignes, d'étoiles, de cordons. Les femmes, avec leurs longues robes à traîne, n'étaient pas moins parées. Diamants, rubis, colliers d'or. On étalait ses trésors. Les habits noirs des hommes formaient un curieux contraste avec les robes blanches des dames.

Hector fut bousculé vers le buffet, où l'on servait du champagne, des truffes, des pâtisseries. Il accepta une coupe et s'en fut dans les salons.

Dans cette marée mondaine, caqueteuse, flagorneuse, volubile, il circulait sans que quiconque n'attachât de regard sur lui, sinon furtivement. Il ne connaissait personne et personne ne le connaissait. Il reconnut au loin Morny, chauve, la moustache cirée toute droite et effilée sous le nez, entouré d'une cour de jolies femmes et de femmes moins jolies.

Apparut aussi Offenbach, si semblable aux caricatures qui amplifiaient sa maigreur et ses jambes d'échassier. Le peu qui lui restait de cheveux tombait en touffes sur ses joues, comme des oreilles d'épagneul. Avec ses besicles, attachées à sa veste par un long cordon noir, ses besicles plantées sur son long nez, il avait l'air de flairer, de renifler on ne sait trop quoi ; l'air du temps, peut-être ? Sans doute. Cet air empoisonné qu'il mettait en couplets polissons, pour la joie de son public de gavés.

Isolé dans un coin du salon, Hector regardait ce défilé des grands seigneurs et des saigneurs de moindre importance, tous béats, faisant la roue comme des paons, se cassant en deux pour des baisemains, se contorsionnant en révérences. Au loin, il aperçut le baron Haussmann dans son habit de préfet aux chamarrures dorées, qui dominait l'assemblée de sa haute taille. Une telle foule se pressait autour de lui qu'il était comme englouti, seuls sa tête et ses favoris bruns émergeaient et, de sa stature de géant, il promenait son regard sur cette mer de courtisans qu'il méprisait.

Un jeune homme tout rond, aux mains potelées, s'approcha d'Hector, le salua avec une grande courtoisie.

– Je suis le secrétaire de Son Excellence le baron Haussmann. Nous sommes très honorés que vous ayez bien voulu répondre à notre invitation. Votre album des antiquités égyptiennes est une merveille. Quant à vos projets pour Paris, nos services devraient les étudier avec plus d'attention.

Hector demeura interloqué. Il ne savait que penser des flatteries de ce fonctionnaire, placé si près du tout-puissant préfet. Et comment avait-il reconnu Hector dont le portrait n'était diffusé nulle part ?

Un brouhaha, près de l'entrée des salons, et une poussée de la foule qui se précipita vers les portes, le détournèrent de ses interrogations. Il crut un moment que l'empereur arrivait. Mais non, il distinguait une femme devant laquelle tout le monde s'extasiait.

– C'est mademoiselle Hortense Schneider, dit le secrétaire. On dirait une reine, n'est-ce pas ?

La belle Hortense se frayait un passage parmi ses admirateurs.

– Venez, dit le secrétaire, qui prit Hector par la main. Venez la voir de près.

Hector se souvenait de son agacement des rires de Julie, au théâtre des Bouffes-Parisiens, des rires qui se ressentaient de la vulgarité des dialogues du livret. La diva du musicien entrait dans cette soirée d'une manière triomphale, comme si elle s'avançait sur la scène d'un théâtre. Et c'était bien en effet son théâtre que cette cour, où elle jouait le premier rôle féminin. Très blonde, avec une chair épanouie qu'elle faisait admirer par le dénuement de ses épaules et de son décolleté, Hortense Schneider avait un charme étrange. Elle savait être suffisamment distinguée pour qu'on l'admît dans la haute société et suffisamment canaille pour y constituer un piment. Sa liaison avec le duc de Gramont officialisait son acceptation par l'aristocratie non seulement de l'argent, mais aussi des blasons. Elle passa près d'Hector, souveraine, les yeux fixés dans le vague, bercée par cette jacasserie flatteuse qui l'entourait.

Hector pensa douloureusement à Julie. Les courtisanes comme Julie n'étaient pas acceptées dans de telles réunions. Ceux qui les entretenaient dans un luxe insensé les conservaient à part, objets de grand prix qu'il ne fallait pas galvauder ; qu'on ne pouvait pas non plus montrer n'importe où. Aux balcons des théâtres, dans les cafés à la mode, dans les allées du Bois, dans les soirées intimes où les femmes légitimes n'apparaissaient pas, soit. Mais pas trop près des allées du pouvoir. La perversion était admise à la Cour, à condition d'y garder de la tenue.

Hector s'aperçut que le petit secrétaire lui serrait toujours la main. Il la retira vivement, gêné.

– J'espère vous revoir, monsieur, dit le jeune homme, qui lui tendit sa carte. Mon bureau vous sera toujours ouvert.

Hector partit très vite, se dégageant de cette cohue comme on fuit un orage. Il ne savait pourquoi, mais la rencontre du secrétaire du préfet, aussi courtoise fût-elle, lui causait un malaise. Comme cette main potelée laissée trop longtemps dans la sienne. Il ressentait une amertume et un mépris de lui-même, de s'être confondu imprudemment avec tous ces coquins.

11.

Au Salon de 1861, Hector eut la surprise de trouver l'œuvre de son ami Gustave Courbet tout à fait changée. Les cinq tableaux qu'il y exposait ne représentaient plus le peuple, mais des animaux sauvages, des cerfs, des scènes de chasse. Des tableaux très sombres, graves, tristes.

Hector se réjouissait beaucoup de revoir Courbet à Paris. Mais Courbet, tout comme sa peinture, n'était plus le même. Ses tableaux ne choquaient plus. Au contraire, ils flattaient une clientèle qui y associait le plaisir des chasses à courre. L'artiste scandaleux se transformait en peintre mondain.

– Ah ! j'aimais mieux tes *Casseurs de pierres*, lui dit Hector. Jamais on n'a tant cassé de pierres à Paris et toi tu t'évades dans la forêt, là où tu ne rencontres plus de bûcherons. Seulement des bêtes sauvages.

– On ne remarque pas que mes bêtes sauvages sont traquées. Comme nous tous. Ce sont des scènes d'agonie.

Hector fouinait dans l'atelier de Courbet, retournait des toiles pour en regarder les sujets. Les vagues de la mer, le ciel orageux, des arbres, la neige, des animaux angoissés...

Il s'étonna :

– Mais la figure humaine a disparu de tes tableaux. Pourquoi ?

Courbet eut un geste las.

– Comprends ce que tu veux. La critique me couvrait d'injures quand je peignais le peuple. Maintenant elle m'insulte parce que je ne le peins plus.

– En janvier, dit Hector, je suis allé au cimetière Montmartre. On y enterrait Henri Murger. À la brasserie Andler, où je vous ai tous rencontrés, Murger, toujours avec vous, ne disait rien. Mimi est enterrée avec lui. Il n'y a plus de Mimi, il n'y a que des Hortense Schneider.

– Et des Julies, l'oublierais-tu ? Quelle destinée que celle de notre Julie ! Elle vient de m'acheter trois tableaux qu'elle veut accrocher dans le grand salon de l'hôtel particulier que fait construire enfin son pantin de baron.

– Tu as revu Julie ?

– Oui, elle n'a jamais été aussi belle. Que me parles-tu de la Schneider ! Julie est d'une autre trempe. Quand je pense que je l'ai ramassée...

– ... dans le ruisseau, je sais. Et moi dans ton atelier. Non, Gustave, rien n'est aussi simple. Peut-être est-ce elle qui nous a ramassés, qui nous a cueillis, si tu préfères. C'est moins grossier, d'être cueilli.

Hector raconta à Courbet comment il avait été invité à une réception à l'Hôtel de Ville, invitation qui le déconcertait, et comment le secrétaire d'Haussmann l'aborda si curieusement.

Courbet s'emporta :

– Il ne faut jamais accepter leurs invitations, ni à l'Hôtel de Ville ni aux Tuileries. Nulle part. Tu penses bien que l'on m'y invite et que je renvoie leurs cartons.

– Comment ? Que dis-tu ? s'étonna Hector. Tu ne t'es pourtant pas privé de l'appui de Morny.

– De son appui, oui, mais je ne me suis jamais rendu à aucune de ses fêtes. Morny est un collectionneur, un homme de goût, un client. C'est une utile relation d'affaires. Je ne fréquente pas ces relations-là et je les fais casquer. Au Salon de 1851, Badinguet m'offrit deux mille francs pour *L'Homme à la pipe*. Pour lui couper l'envie d'accrocher ma binette aux Tuileries, je lui en ai demandé le double. Quatre ans plus tard, quand le directeur des Musées de France me commanda un tableau, à condition qu'il puisse en présenter une esquisse à son Comité, et que je m'en indignai, il s'exclama que j'étais bien fier. Je lui répondis : « Monsieur, je suis l'homme le plus fier, le plus orgueilleux de France. » La commande en resta là. Non, mon vieux, il ne faut leur accorder aucun cadeau. Qu'ils payent ! Qu'ils payent puisque les salons, comme les ministères, sont devenus des annexes de la Bourse. Les banquiers tiennent le haut du pavé. Ah ! non, jamais je ne répondrai à ces invitations à des parties fines. Trop de clinquant, de vulgarité, trop de valets sous des enveloppes brodées. Ils ont dit que j'étais vulgaire, grossier. Ils ne se sont pas regardés. Comment as-tu pu aller te fourrer dans cette abjection ? La mer, mon vieux, la mer, les vagues, mon bon ami Boudin... Rien n'est plus beau que la mer, sinon mon pays d'Ornans.

» Morny eût aimé que je devienne le peintre officiel de l'Empire. Il s'est vite aperçu que je n'étais pas apprivoisable. Il s'est rabattu sur Offenbach, calculant que cet amuseur ferait passer la pilule de la dictature. Quand on se moque de tout, rien n'est grave. Strass, plumes, dorures, le goût d'Offenbach correspond à celui de l'empereur. Alors que Proudhon, toi et moi, nous sommes les révulsifs de l'Empire. Ne l'oublie pas. Ne va pas te jeter dans leurs pattes.

» Tu te souviens de mon portrait de Berlioz ? Il est arrivé à Paris un musicien allemand qui lui ressemble. De dix ans plus jeune. Richard Wagner.

– Je n'en ai jamais entendu parler.

– Son opéra, *Tannhäuser*, a été un échec. Tu sais pourquoi ?

– Non.

– Parce que ces messieurs du Jockey Club l'ont chahuté. Pour exprimer leur mécontentement de ce que le ballet était placé trop tôt, ce qui ne leur permettait pas d'arriver à temps pour applaudir les danseuses qu'ils entretiennent. Bien sûr, Offenbach s'est permis de se moquer de la musique de Wagner, puisqu'il se moque de tout. Tu comprends qu'après cela la carrière de Wagner est terminée à Paris. Ni Napoléon ni Eugénie n'entendent rien à la musique. Pas plus qu'à la peinture. Ils n'en ont pas moins l'envie de les régenter, de les mettre à leur service. Fuis ces gens-là comme la peste, mon bon Hector. Tu les avais toujours évités. Continue.

Le résultat de la soirée à l'Hôtel de Ville ne se fit pas attendre longtemps. Des articles fielleux commencèrent à s'insérer dans la presse avec des caricatures appropriées. La silhouette d'Hector apparaissait dans ces feuilles toutes vouées à la défense du trône et de l'autel. On montrait Hector courbant l'échine devant Haussmann avec cette légende : « Allégeance de la chimère au lion ». Ailleurs, Hector, une truelle à la main, maçonnait une pyramide pour le pharaon Haussmann. Partout, on associait le nom d'Hector à celui du préfet de Paris. On le ridiculisait, tout en le vassalisant. On le montrait en chien aboyant contre l'Opéra en construction, en chameau chevauché par Baltard, en Turc soumettant au préfet la maquette d'une mosquée qu'il proposait d'édifier place de la Concorde, en aéronaute offrant à Richard Wagner un Opéra en forme de ballon qu'Offenbach venait crever avec son porte-plume. Au bout d'un mois, Hector, qui n'était pas un inconnu, devint célèbre. Mais de quelle célébrité ! Pas de celle qui lui apporterait des commandes.

Risée de l'administration et du corps des architectes, Hector aggrava son cas en attaquant violemment ses adversaires par des libelles. S'il s'était abstenu, la cabale montée contre lui se serait fatalement éteinte. Il s'employa, par une suite d'écrits qu'il publia en brochures, à ses frais, à l'envenimer et à la faire, par là même, perdurer.

Ne proposait-il pas de couvrir la cour du vieux Louvre par ce qu'il appelait « une grande vitrine ne dénaturant pas les constructions existantes » ; de creuser des tunnels à piétons sous la Seine ; d'abandonner la construction de la Bibliothèque nationale, rue de Richelieu, confiée à l'excellent Labrouste, et d'ériger à la place « un nouvel édifice homogène incombustible » ; d'établir autour de Paris une voie ferrée passant par Saint-Denis, Versailles, Sceaux, etc. ; de remplacer les toits des maisons par des terrasses jardinées qui recueilleraient l'eau des pluies, utile en cas de sinistre ; d'aménager dans tous les édifices publics des cabinets et pissotières pour les deux sexes ; de ceinturer Paris de potagers et de vergers « à la place des fortifications stériles » et de supprimer les grilles et les octrois ; de baptiser de noms d'artistes, de savants ou d'événements pacifiques les ponts, les places et les rues en leur enlevant leurs noms de sanglantes batailles ?

Dans toutes ses propositions, scrupuleusement argumentées de dessins, de calculs et de coûts chiffrés, se mêlaient les anticipations les plus rationnelles à des divagations farfelues qui dévaluaient les premières. Toutefois, ce qui cabra le plus ses censeurs vint de ses conclusions pacifistes et sociales. On le représentait bras dessus, bras dessous avec Proudhon, toujours en exil. La caricature se fit plus grinçante. De la moquerie, on passa aux invectives. Finalement, on s'aperçut qu'il chamboulait tous les plans du puissant préfet de Paris. Le jeu se révélant dangereux, et le pouvoir ne s'en tirant pas toujours grandi, Haussmann intima à son secrétaire l'ordre de mettre fin à la polémique. La presse lança un autre sujet de scandale et d'amusement. Hector se trouva bientôt tout seul, avec ses brochures invendables et ce grand trou du silence, revenu autour de lui.

Lorsqu'un cocher frappa à sa porte et l'invita à monter dans la calèche qui stationnait rue du Sentier, Hector, cette fois-ci, flaira aussitôt le piège et lui referma la porte au nez.

Le cocher cria :

– C'est Mademoiselle Julie. Mademoiselle Julie m'envoie vous chercher.

Il ouvrit, regarda avec stupeur l'attelage.

– Me chercher ? Pourquoi ?

– Je l'ignore, Monsieur.

– Où voulez-vous m'emmener ?

– Boulevard Malesherbes, chez Mademoiselle Julie qui vous attend.

Invraisemblable ! Hector toisa le cocher, se planta devant les chevaux comme s'il s'agissait d'animaux fantastiques. Crut trouver un argument :

– Je suis occupé. J'ai du travail. Oui, c'est ça, dites à Mademoiselle Julie que je suis occupé.

Mademoiselle Julie ? Quelle étrange association que ce mot : « Mademoiselle », devant ce prénom : Julie. Jamais il n'avait entendu appeler Julie Mademoiselle. Ce Mademoiselle prenait dans la bouche du cocher quelque chose d'équivoque et même de suspect.

Il le renvoya, réintégra son logement-atelier où, en réalité, il n'avait rien à faire.

Le lendemain, le cocher réapparut, une lettre à la main.

Hector l'ouvrit, reconnut l'écriture de Julie, malhabile, appliquée comme celle d'un enfant. Lorsque Julie vint vivre avec lui, elle ne savait ni lire ni écrire. Elle apprit assez rapidement à lire, mais l'écriture lui posa beaucoup de difficultés. Hector déchiffra avec émotion et trouble ces quelques lignes qui avaient dû coûter à son amie tant d'efforts et où elle insistait pour qu'il prenne place dans la calèche.

Hector n'était jamais retourné dans ce quartier de

l'enfance sordide de Julie. Les plans d'Haussmann avaient complètement rasé les masures infectes de la Petite Pologne, aplani les terrains vagues, bouleversé l'ancien cimetière des Errancis. Une large voie, toute droite, longue de près de trois kilomètres, partait de l'église de la Madeleine et allait buter sur les fortifications de la porte d'Asnières. La calèche contourna un grand chantier qui bouleversait le parcours. Hector remarqua, surpris, des poutrelles de fer plantées en terre. Il demanda au cocher ce que l'on construisait :

– Une église, Monsieur. On dit qu'elle s'appellera Saint-Augustin.

– Une église ? Avec cette carcasse de métal ? Ne s'agit-il pas plutôt d'un de ces grands magasins ?

– Non pas, Monsieur. Tout le monde est étonné, mais il s'agit bien d'une église. Même que les constructeurs ont du mal avec ce terrain pourri et tous ces os des malheureux guillotinés de 1793 qu'ils déterrent et doivent emporter par tombereaux tous les jours.

Derrière le chantier, le boulevard Malesherbes s'étendait, triomphant, bordé de superbes demeures. La calèche s'arrêta devant l'une d'elles et le cocher pria Hector de descendre.

Il fut reçu par un laquais en habit à la française qui l'invita à le suivre sur les marches d'un grand escalier bordé de candélabres. Tout en haut se tenait Julie, les épaules charnues découvertes, mises en valeur par le noir du corsage. Étrange mode que ces crinolines qui effaçaient la moitié du corps, en amplifiant le buste. Hector regardait Julie et, à l'émerveillement de la retrouver, se mêlait une impression cocasse et moqueuse. Cette crinoline, pensait-il (et l'état de courtisane de son amie le conduisait à ces considérations ironiques), cette crinoline emprisonne la partie la plus précieuse du corps de la femme, au dire des consommateurs, dans une sorte de coffre-fort dont l'heureux propriétaire se croit le seul à posséder la clef.

En avançant vers Julie, il s'imaginait dans la peau d'un cambrioleur.

– Pourquoi n'as-tu jamais essayé de me revoir ? demanda Julie.

– Nos chemins divergeaient.

– Qu'allais-tu chercher en Égypte ? Y as-tu trouvé des femmes qui t'aimaient plus que moi ?

– J'y ai trouvé les almées.

– Les quoi ?

– Des danseuses, assez sauvages et qui chantent aussi. Pas toujours très propres, qui sentent beaucoup la sueur et un petit peu l'eau de rose. Câlines comme des chattes.

– Je n'étais pas câline comme une chatte ?

– Tu as toujours été une lionne. J'ai appris en Égypte que seules les lionnes chassent le gibier. Plus rapides que les mâles, elles foncent sur leur proie. Comme toi, en somme...

Julie s'esclaffa, narquoise :

– Viens visiter mon palais.

Hector, qui avait toujours eu horreur des décors surchargés, qui rêvait d'une architecture nue, avec un mobilier réduit au minimum, se sentit oppressé en parcourant ces pièces encombrées de sièges capitonnés : confidents, indiscrets, poufs, crapauds. Le tapissier régnait en maître dans ces résidences de parvenus. Rien de créatif dans cet ensemble conçu pour l'épate, réinterprétant toujours des styles anciens. Du néo-rococo aux formes galbées. Un abus de dorures, de moulurations, de bronzes d'ornement, de marqueterie en cèdre et en thuya d'Algérie, un excès de polychromie avec ces porcelaines et ces émails peints, ces laques, ces écailles rouges. Le goût du bariolage violent était dans l'air du temps. Hittorff avait badigeonné de couleurs violentes les structures de la gare du Nord et les candélabres de la place de la Concorde. Rien n'agaçait plus Hector que cette présence des « Prussiens » qui accaparaient tout : Haussmann, Offenbach, Hittorff, Hortense Schneider...

Hortense Schneider qu'admirait tant Julie ! Combien Julie était plus belle ! Dans tout ce luxe, elle apparaissait néanmoins à Hector comme déguisée, interprétant un rôle absurde qui ne lui convenait pas. Après avoir parcouru toutes les pièces, comme on visite un musée, il lui dit, ironique :

– Alors, tu manges au XVIe siècle, tu dors au XVIIIe. Tu t'amuses, à jouer cette comédie ?

– Oui, je m'amuse. Mais pas seulement. As-tu remarqué que cet immeuble que je me suis fait offrir par le baron Vadé est planté exactement à l'endroit de la Petite Pologne ? Belle revanche, non ?

– Stupide.

Hector pensait au baron Vadé qui avait englouti une fortune pour construire cet immeuble et le garnir d'antiquités, de pseudo-antiquités achetées à prix d'or chez Beurdeley, d'objets précieux provenant de chez Tahan. Il ne comprenait pas. Toutes ces richesses accumulées pour obtenir les faveurs de Julie... Il dit :

– J'avoue que je ne comprends pas.

– Quoi ?

– Pourquoi on te donne tous ces trésors, ou prétendus tels.

– Ne sois pas offensant. Tu ne te souviens donc pas...

– Si, si, je me souviens... Comment ne me souviendrais-je pas de ta sensualité, de ton charme ! Comment ne m'apercevrais-je pas que tu es encore plus belle dans ta maturité ! Il n'empêche que ces hommes, qui ne vivent même pas avec toi, et auxquels, je le soupçonne, tu n'accordes que des faveurs mesurées, pour qu'ils se sentent toujours en manque, ces hommes, vraiment, quelle bêtise !

– J'aurais pu ruiner Ambroise, ruiner son foyer.

Je ne l'ai pas fait. Ambroise restait ton ami, notre ami du bon temps...

– Tu as dit « du bon temps » ?

– Oui, du bon temps. Ne crois pas que je sois heureuse de tout ce luxe. Il ne m'épate même pas. J'étais plus heureuse avec toi. Mais je savais que je finirais par te rendre malheureux, parce que je suis volage. Enfin, volage, si l'on veut. Je suis plutôt cette lionne en chasse dont tu parles. Tu as dit vrai. J'aime déchiqueter mes proies. Ambroise n'a pas été une proie. Seulement un laissez-passer. Il m'a introduite dans le monde, où je me suis taillé une place. J'ai déjà ruiné plusieurs de ces beaux seigneurs, tu sais ! Vadé, je le ruinerai aussi. Il me faudra du temps. Il est tellement riche. Mais je l'aurai. Je marcherai sur son cadavre.

– Pourquoi tout ça, Julie ? Pourquoi cette fureur ?

– Tu le sais bien. Tu as vu la Petite Pologne dans sa misère. J'ai trop à venger. Toutes mes amies sont comme moi. Nous nous amusons comme de petites folles. On nous regarde chanter, rire, casser des coupes de champagne, casser les ménages, lever la jambe au Ba-Ta-Clan, danser la polka. On fait la fête. La fête ! Mais au fond de chacune d'entre nous il y a ce désir de vengeance d'une enfance pourrie. Une pourriture qui continue à nous ronger, même si ça ne se voit pas, même si on réussit à chasser son odeur par des parfums qui, malgré tout, s'évaporent. J'en connais qui sont déjà pourries jusqu'aux os. J'en connais une qui refile sa vérole à tous ses amants. Exprès. Pour qu'ils en crèvent. Certaines rêvent même d'empoisonner tout l'Empire, de contaminer Morny, Napoléon, Eugénie... C'est le feu que nous foutons au monde. Je te venge aussi, toi, qu'ils ont trahi, qu'ils pillent, qu'ils ridiculisent. Tu as vu, en arrivant, ce chantier pour l'église Saint-Augustin. Tu as vu cette carcasse en fer. Une église en fer, mais oui ! Et c'est Baltard qui la construit. Baltard, ton plagiaire ! Pas toi. Pourquoi cette fureur, dis-tu ? À ta place, j'enragerais.

– J'enrage, parfois.

– Non, je ne t'ai pas prié de venir pour te montrer seulement toutes ces saloperies dont je savais bien que tu ne les aimerais pas. Elles sont là pour appâter le client. Quand même, ça me plaisait que tu constates où j'en suis. Bon, tu m'as beaucoup aidée, autrefois...

– Je ne t'ai pas aidée. Je t'ai aimée.

– J'aimerais t'aider à mon tour. Tu es si maladroit. Non, tu ne voudras pas de mes relations faisandées, je le sais. Tu ne voudras pas venir habiter ici...

– Habiter chez toi ? Mais le baron...

– Il n'y verrait que du feu.

– Tu n'y penses pas. J'étoufferais dans ce décor de théâtre.

– Reste au moins cette nuit.

Hector ressentait une gêne dans cet univers de cocotte, avec ces soubrettes au museau pointu qui traversaient les chambres silencieusement, en ayant l'air de fermer les yeux. Il s'en voulut soudain de ne pas avoir remarqué plus tôt ce phénomène : Julie avait perdu son odeur de rousse. Dans toutes les pièces qu'ils parcouraient ensemble, une autre odeur effaçait les odeurs corporelles, une odeur de parfums indéfinis, émolliente, concourant à créer une ambiance indolente.

Julie posa ses mains sur les épaules d'Hector. L'attira contre elle. Là, si près, revenait l'arôme âcre de son amie. Cette crinoline, tout ce harnachement qui transformait les femmes en figurines de théâtre, il l'arracha avec fureur. Retrouver Julie. Retrouver Julie nue, sans tous ces artifices. Il eût voulu l'emporter ainsi dévêtue, redevenue telle qu'il l'avait connue lorsqu'elle s'était évadée de l'atelier de Courbet, loin de cet écrin qu'elle posait avec une fatuité ridicule sur le fumier de sa jeunesse.

Julie riait, lançait elle-même en l'air son corset, ses jupons, ses culottes, ses bas, tout son attirail de gourgandine. Elle se jeta sur le grand lit à baldaquin de la chambre à coucher, les bras tendus vers Hector :

– Viens. Oh ! viens !

12.

En 1862, Napoléon III ayant décrété l'amnistie pour les crimes politiques, Proudhon rentra en France et s'installa provisoirement, avec sa femme et ses deux filles, à l'Hôtel de la Paix, 64, rue du Faubourg-Montmartre, donc près du logement d'Hector.

Hector en éprouva une grande joie. D'autant plus que Courbet accourait pour accueillir son ami franc-comtois. Tous les trois retrouvaient l'exaltation de leur jeunesse, du temps de la brasserie Andler. Si bien que, titillé par Proudhon qui lui reprochait d'avoir abandonné l'expression politique, Courbet se mit en tête de brosser un tableau satirique qui, cette fois-ci, s'attaquerait à la religion. Puisque Proudhon avait été exilé par la faute de l'Église, il le vengerait en ridiculisant les curés. Oui, Courbet en riait à l'avance, comme s'il s'agissait d'une bonne blague.

– Et Victor Hugo, demanda Hector, pourquoi ne

revient-il pas, maintenant que l'amnistie le rend tout blanc ?

– Il refuse, répondit Proudhon. Il se cramponne à son rocher comme une huître. Réintégrer la France serait fiche en l'air son fonds de commerce dont toute la fortune tient dans sa haine de Badinguet.

– Proudhon, lui, enchaîna Courbet, accepte l'amnistie sans le crier sur les toits, mais non plus sans le cacher.

Ils se rejoignaient tous les soirs, dans le logement de la rue du Sentier, déplorant qu'une fois de plus l'Empire se laissât aller dans une guerre stupide. Stupide comme toutes les guerres, évidemment, mais cette expédition au Mexique par laquelle Napoléon III voulait fonder en Amérique une monarchie au profit de Maximilien d'Autriche dépassait toutes les bêtises militaires.

– Maximilien n'est qu'un prétexte, disait sentencieusement Proudhon. En réalité, il y a des affaires de finances là-dessous. On répète que Morny a entraîné son demi-frère dans cette guerre pour y soutenir les créances du banquier Jecker.

– Et ton canal de Suez, enchaînait Courbet à l'adresse d'Hector, voilà qu'on commence à le creuser. L'Angleterre s'indigne de ce que deux mille fellahs ont été contraints au travail forcé...

– L'Angleterre s'est toujours scandalisée du canal dont elle aurait voulu être, elle-même, propriétaire...

Mais Hector ne se souciait plus du canal. Ne

pensait plus aux almées. Il recevait régulièrement des billets de Julie qui lui indiquaient quand venir la rejoindre. Ce jeu de cache-cache, ces dérobades, cet amour retrouvé, si fragile, dans sa clandestinité, ne manquaient pas de piquant.

Il n'avait parlé de sa rencontre avec Julie ni à Proudhon, si facilement choqué dans son puritanisme, ni à Courbet qui s'en serait réjoui avec trop de paillardise. Lorsqu'il était seul, il lui arrivait souvent de dialoguer en imagination avec ses amis, de leur dire en secret ce qu'il ne leur avouait pas en face. Il s'amusait ainsi à soliloquer avec le sermonneur Proudhon, lui avouant qu'il comprenait la fascination exercée par les courtisanes qui allient la puissance de l'argent à une féminité sans embarras. Il poursuivait, riant sous cape, que les femmes galantes édifient en réalité une justice toute socialiste, rétablissant l'équilibre des fortunes en ruinant les banquiers et les ducs. Puisque le commerce est roi en ce temps, puisque l'argent mène le monde, pourquoi certaines femmes ne joueraient-elles pas le jeu, en se présentant comme un objet mercantile ? Puisque l'on paye pour tout, pourquoi ne pas payer pour la beauté ?

Cela dit, Hector n'eût jamais osé prononcer ces phrases devant Proudhon, n'eût jamais osé les prononcer tout haut. Elles le choquaient lui-même. Il cherchait un accommodement pour justifier sa liaison équivoque avec Julie.

Les retrouvailles de ses deux amis, sa liaison mouvementée et pittoresque avec Julie, lui redonnèrent un élan créatif qui s'était assoupi. Il se lança dans un très grand projet, le plus original, le plus fou et, en même temps, le plus rationnel de tous ceux qu'il avait proposés.

Considérant que la circulation intense de voitures, de chevaux et de piétons devenait lente et dangereuse, qu'il fallait deux heures d'omnibus pour se rendre du centre de Paris aux barrières, que les promeneurs qui affluaient sur les Grands Boulevards n'étaient protégés ni de la pluie, ni du vent, ni du froid, ni de la boue, ni de la poussière, Hector envisagea rien de moins que d'établir une couverture en acier riveté supportant de larges plaques de verre.

Il reprenait ainsi le thème, qui l'avait toujours captivé, des passages et galeries couverts, abondants dans le centre de Paris depuis le début du siècle, et aussi celui des rues ombragées, d'une manière empirique, au Caire.

Toutefois, ce qu'il dessinait dépassait toutes ces réalisations par son ampleur. Ne prévoyait-il pas la couverture totale de tous les vieux boulevards entre la place du nouvel Opéra et la porte Saint-Martin ? En ce lieu de luxe et de loisirs, Hector voulait offrir un espace voué à la promenade, à la flânerie, où la température serait maîtrisée puisque ces boulevards se transformeraient ainsi en jardins d'hiver et d'été. Les voitures continueraient d'y circuler, mettant les chevaux eux-mêmes à l'abri. Les piétons traverseraient les voies par des passerelles ou des tunnels souterrains.

Tous les étages des immeubles ouvriraient leurs fenêtres sous la verrière. Fixant des jardinières aux poteaux de fonte, suspendant des guirlandes sous les arcades, Hector donnait un décor permanent et joyeux à ses avenues. Des fontaines, des arbustes, des cabinets et urinoirs aérés, tout ce que notre modernité appelle le mobilier urbain, était également proposé.

Les planches aquarellées qu'Hector exposait dans son atelier, invitant la presse à les commenter, à la fois précises et d'une grande qualité plastique, montraient bien l'élégance et la sveltesse de son architecture. On pouvait déceler une certaine réminiscence gothique dans l'élan de ces verrières qui se dressaient très haut par-dessus les toits. Les Boulevards ressemblaient ainsi au vaisseau central des cathédrales, mais un vaisseau transparent, éclairé par la lumière du jour. Pour la nuit, Hector préconisait la lumière électrique qui n'existait encore qu'à l'état empirique.

Il s'attendait à ce que les journalistes tournent une fois de plus en dérision son architecture. À son grand étonnement, aucun échotier ne vint visiter son exposition. Aucun caricaturiste ne railla son imagination. Le silence le plus total. L'indifférence la plus absolue.

– Tu t'étonnes ? lui dit Courbet. Ils ont voulu te détruire par la caricature. Puis ils se sont aperçus qu'ils se disqualifiaient eux-mêmes en se moquant de toi. Ils emploient maintenant l'arme absolue : le néant. Ils font comme si tu n'existais pas. Prends garde. Ils veulent t'enterrer vivant.

» Moi aussi, on a tenté de m'étouffer en refusant mes toiles au Salon. Seulement, à chaque fois, je m'en sers de réclame. Tu te souviens de ma baraque à l'Exposition universelle ? Leurs obstructions concourent à ma gloire. Tu ne sais pas te servir de tes échecs.

Dans son atelier, Courbet lui montra ce tableau anticlérical réalisé en hommage à Proudhon et qu'il intitulait : *Le Retour de la conférence.*

– Hein ! Qu'en penses-tu ? Ils croyaient que j'étais muselé, captif du spectacle des chasses au cerf, du ressac des vagues... Toi-même, tu regrettais mes *Casseurs de pierres* ! Eh bien là, mon vieux, je cogne fort.

Hector, stupéfait, regardait ce nouveau tableau de Courbet qui lui semblait monstrueux. Il représentait une dizaine de curés, noirs comme la bile noire, l'un d'eux juché sur un âne, des curés hilares, les uns dansant en montrant leurs jambes sous la soutane, les autres titubant, tous visiblement saouls, en goguette, et passant devant un couple de paysans qui se tordaient de rire.

– Tu reconnais ces deux paysans ? dit Courbet. C'est le couple de *L'Angélus* de Millet, enfin déniaisé.

Hector ne savait que dire. Ce tableau étalait un tel goût douteux, trop caricatural, trop chargé d'insultes pour être vraiment sacrilège, que l'effet recherché tombait à plat.

– Proudhon a vu ce tableau ?

– Il considère que je n'ai jamais fait mieux. Et toi ?

– C'est un sujet pour Daumier, pas pour Courbet.

– Tu n'y connais rien.

Le jury du Salon de 1863 refusa évidemment *Le Retour de la conférence*. Non seulement Courbet s'y attendait, mais il le souhaitait. Un tableau de Courbet, refusé désormais par un jury, était mille fois plus remarqué qu'un tableau accepté. L'impératrice eut l'imprudence de déclarer qu'elle s'indignait de « cette bande de curés ivrognes ». Aussitôt Courbet saisit la balle au bond et accusa l'impératrice d'avoir soudoyé le jury. Puis il demanda à Proudhon d'élaborer un texte sur *Le Retour de la conférence*. Proudhon rédigea une dizaine de pages. Courbet voulait beaucoup plus. Tant et si bien qu'il arriva à ce que Proudhon, partant de cette peinture qu'il aimait effectivement beaucoup, écrive une sorte de manifeste du réalisme en art, développé en cent cinquante pages.

Proudhon habitait maintenant, avec sa famille, une maison particulière dans l'artère principale du village de Passy, qui conduisait au bois de Boulogne.

Hector allait de la maison de Proudhon à l'atelier

de Courbet qui, avec sa fatuité naïve, lui confiait à propos du manuscrit auquel travaillait le philosophe :

– Ça va faire de moi un homme sans pareil !

Cette comédie n'amusait guère Hector qui n'avait même plus goût au travail.

L'indifférence dont on l'accablait pour sa transformation des Grands Boulevards en espaces couverts et fleuris le déprimait. Comme le déprimaient ses retrouvailles avec Julie, excitantes et parfois affligeantes. Il attendait les billets qui lui ouvraient la porte de la trop fastueuse résidence du boulevard Malesherbes. Chaque jour sans nouvelles devenait un calvaire. Aux accès de jalousie succédait l'oubli de ses angoisses lorsqu'il pénétrait dans le grand salon, où les trois tableaux de Courbet étaient accrochés, et que Julie lui ouvrait les bras.

Cet amour le plongeait dans une sorte d'endolorissement, d'indolence. Était-ce l'ambiance délétère du milieu dans lequel vivait la courtisane, sa superficialité, son érotisme trouble, qui amenaient Hector dans cet état d'apathie ? Il comprenait maintenant comment ces hommes qui occupaient des postes si puissants, devant lesquels se courbait tout un entourage, pouvaient demeurer prisonniers de ces femmes habilement voluptueuses. Comment elles pouvaient les dépouiller de tout leur avoir, les mettre à genoux, les humilier, les briser.

Non pas que Julie adoptât une telle attitude envers

lui. Bien au contraire. Elle ne savait que faire pour qu'il acceptât des cadeaux, pour qu'il consentît à se séparer d'elle le moins longtemps possible, pour qu'il n'en souffrît pas. Elle était avec Hector d'une attention si tendre... Cette tendresse le bouleversait. Il retrouvait alors la Julie de leurs anciennes amours.

Mais dès qu'il quittait le boulevard Malesherbes, l'altière, l'intrigante, la vénale Julie se superposait violemment à la douce image qu'il pensait emporter. Si bien qu'en l'absence de Julie il n'éprouvait que des tourments.

Il errait dans les rues, s'attardait aux spectacles forains, regardait sans plaisir les monstres exhibés dans de petites baraques en toile : géant, femme à barbe, enfant hydrocéphale. Il remontait vers le palais du Luxembourg. Trois libraires étalaient leurs bouquins sous les galeries du Théâtre de l'Odéon. Les étudiants s'y bousculaient pour y lire sans acheter. Hector n'avait plus envie de lire. Il n'avait plus envie de rien. Sauf de Julie.

Il passait ses journées à marcher. Il ne se promenait pas. Il marchait. Il marchait sans but précis, affamé néanmoins du spectacle de la ville en mutation. Si l'on refusait son utopie, c'est que le second Empire mettait la sienne en œuvre. L'utopie de la richesse sans cesse accumulée, du progrès industriel et commercial sans limites. Une nouvelle culture apparaissait, synthèse du grand capital et de l'industrie.

Le commerce envahissait le centre de Paris. Les hôtels de la place des Vosges se transformaient en magasins, les arcades servant aux éventaires. Sur la place des Victoires, Louis XIV était entouré de marchands de drap et, sur la place Vendôme, le premier Napoléon, sur sa colonne, n'avait plus pour voisinage que des banquiers.

L'ancien quartier aristocratique du Marais, saccagé, était abandonné à la décrépitude. L'eau de pluie dégoulinant des toits (malgré un règlement vieux de trente ans rendant les gouttières obligatoires), les rues, par mauvais temps, devenaient des rivières et il fallait les traverser sur des planches. Les cours, les jardins, occupés par des locaux du négoce, par des petites usines, par des ateliers de réparations, c'était le monde moderne, dans son expression lugubre, qui prenait possession, avec une mine vorace de rat, des vestiges de l'ancienne fortune. Avaient vécu, là aussi, jadis, des courtisanes et des nobles seigneurs, toute une société en dentelles et en minauderies, assoiffée également de pouvoir et d'or, féroce et bornée. Les temps, le temps ne changeaient pas. Simplement, les lieux du pouvoir et du plaisir se déplaçaient. L'hôtel des Archevêques de Sens, accaparé par une blanchisserie, la Petite Pologne devenue le boulevard Malesherbes... Au fond rien ne changeait, sinon l'aspect superficiel des choses.

Hector marchait dans Paris. Jadis, il arpentait les vieilles rues de la capitale, avec sa canne métrique, pour déceler dans les traditionnelles mesures ce « nombre d'or » qu'il avait fini par élaborer. Maintenant, il n'emportait plus sa canne métrique. Il ne recherchait plus rien. Il observait simplement l'image d'un désastre.

Les lourds fardiers traînés par cinq chevaux apportaient des blocs de pierre des carrières hors les murs et des tombereaux les croisaient qui allaient décharger derrière les fortifs les gravats des maisons démolies. Avec ces gravats, on construisait des logements pour les ouvriers chassés de Paris, ces ouvriers nomadisés que l'on voyait nombreux, dans les rues du centre, poussant leurs charrettes à bras surchargées de pauvres hardes.

L'exil des pauvres se faisait du côté de Charonne, de Belleville, de Ménilmontant. Les caricaturistes emplissaient les feuilles de journaux de leurs dessins ironiques, baptisant ces constructions hâtives de « commodes », avec des « tiroirs de famille » pour y ranger femme et enfants.

Hector, qui savait ce que l'on aurait pu réaliser, qui avait fourni un modèle d'habitat populaire avec son familistère, n'avait pas envie de rire. D'ailleurs la caricature ne le faisait plus rire depuis qu'elle se déculottait devant l'empereur, qu'elle s'aplatissait à son service, éliminant toute critique du règne de Badinguet. Robert Macaire et Ratapoil étaient enterrés depuis longtemps. Comme elle s'était acharnée à ridiculiser l'inoffensif Hector, en se mettant aux ordres d'Haussmann, la caricature s'en prenait à Proudhon et à ce qu'elle appelait les « saucialistes », à Courbet, à Wagner. Elle ne visait, avec son fusil à aiguille, que les contestataires. Au lieu de mettre le doigt sur les travers du régime impérial, sur ses ignominies, sur ses reniements, la caricature officiait comme Offenbach du côté de la rigolade. La gaudriole était non seulement tolérée, mais encouragée par le pouvoir qui se gardait bien d'inquiéter les spécialistes des « petites femmes ». Que de corsets, que de jarretières, que de dessous froufroutants, que de dragueurs, que de cocus, dans ce dessin satirique... Que de grandes cocottes, d'ouvrières séduites, de petits rats aguicheurs, que de modèles de peintres prétextes à déshabillages... Que de filles entretenues réjouies, de mères entremetteuses ou complaisantes... La polissonnerie permettait de détourner le public, amusé, des problèmes graves.

Écœuré de ce qu'il voyait dans Paris, Hector marchait jusqu'aux fortifications. Hors les murs, comme dans la capitale, la fièvre de la construction hâtive multipliait les trafics sur les terrains. Les châteaux étaient achetés en toute hâte aux aristocrates ruinés de l'Ancien Régime, rasés, leurs parcs lotis. À Issy, au Raincy, à Neuilly, on éventrait, on géométrisait, on aplanissait les dénivellements de terrain impropres à l'alignement de ces immeubles « populaires » impopulaires que les ouvriers, obligés de s'y amasser, appelaient des casernes.

Hector revenait tristement vers la rue du Sentier. Le 2e arrondissement, avec le 9e, se classait parmi les plus riches arrondissements du nouveau Paris. Pourtant, lorsqu'il poussait la porte charretière, il essayait d'échapper au coup d'œil du médecin installé au rez-de-chaussée qui, au bruit, écartait le rideau de sa croisée en espérant voir apparaître un client. La misère décente de cet homme, dont il percevait chaque jour le regard interrogatif, et auquel il n'avait jamais parlé, le désolait. Hector montait les marches de pierre, usées par tant de semelles, de ce vieil immeuble confortable qui devait dater du siècle de Louis XV. À l'entresol s'entassait une famille de tailleurs, aux nombreux enfants. Un couple de rentiers occupait le premier étage. Le logement-atelier d'Hector se trouvait au-dessus. Des employés de magasins logeaient dans les étages supérieurs et, dans les combles, se casaient tant bien que mal les domestiques.

C'était un immeuble tranquille, tout près, mais en deçà de l'agitation et du brouhaha du boulevard Poissonnière. Trop calme désormais pour Hector. Il en repartait très vite, allait s'attabler à la terrasse d'un des nombreux cafés du boulevard. Regardait passer la vie. Se morfondait de la sienne. Espérait Julie.

13.

À CHAQUE fois qu'il recevait un billet de Julie, une sorte de nausée le suffoquait. La prostitution mondaine dans laquelle elle se complaisait lui répugnait. Et pourtant, il accourait très vite boulevard Malesherbes. Julie retrouvée, l'environnement graveleux de son amie s'évaporait. Il s'habituait aux parfums délétères, au décor d'alcôve, aux apparitions furtives des soubrettes au museau de souris, au bruit si singulier du frottement des vêtements de soie lorsque Julie arrivait vers lui et lui tendait les bras.

Ce jour-là, elle apparut triomphante. Folle d'orgueil. Ses narines dilatées, ses lèvres retroussées, ses yeux roux et ce poil fauve de sa chevelure s'identifiaient à tel point à une lionne qu'Hector s'arrêta, médusé.

– Ça y est, lui dit-elle, cette fois-ci je me paye un duc, et quel duc !

Hector l'écoutait.

– Tu ne me demandes pas quel duc ?

– Cette noblesse-là m'intéresse peu.

– Voyons, c'est Morny !

Hector se mit à rire. Il riait de dépit et de dégoût.

– Morny est duc, maintenant ?

– À ce qu'il paraît. En tout cas, on le dit. Son demi-frère s'est sacré empereur tout seul. Il pouvait bien accorder un duché au bâtard.

– Quand la Cour te recevra, tu seras plus avancée !

– Ne t'inquiète pas, on nous cajole, on nous couvre d'or, on nous envie ; les femmes du monde imitent nos toilettes, nous jalousent ; mais on nous tient en dehors de ce qu'ils appellent le monde. Nous paradons à l'Opéra, mais pas dans la loge de ces messieurs qui nous reluquent de loin, avec leurs lorgnettes. Qu'importe, c'est dans les promenoirs des théâtres que nous obtenons nos plus belles prises. En tout cas, Morny, je le tiens. Je le crèverai.

– Ta réussite, si on peut appeler ça une réussite, t'égare. Tu les fais casquer. Un jour ils te feront payer leurs faiblesses, leurs lâchetés.

– Tendre Hector, Hector chéri, tu ne peux pas comprendre. Nous les tenons tous. L'Empire s'effondrera avec nous. Je ne suis pas la seule à monter consciemment à l'abordage de ce bateau pourri. Nous sommes concurrentes. On nous croit ennemies. Nous donnons le change. On ne sait pas combien nous complotons, combien nous nous refilons des tuyaux, combien nous minons lentement un monde que nous détestons toutes. Ton ami Proudhon croit que c'est lui l'ennemi de l'Empire, des riches, des puissants, le défenseur des pauvres, et il doit nous mépriser à cause de nos dentelles. S'il savait combien ceux que nous fréquentons de si près, ceux que la tiédeur de l'oreiller désarme, s'en fichent de Proudhon et de son socialisme. Ils sont si sûrs d'eux, de leur magot, de leur police, de leurs soldats. Ils ont si bien tout verrouillé, tout mis au pas... Sauf nous ! Ils ne se méfient pas. Nous connaissant vénales, ils croient nous avoir achetées. Justement, il n'y a que nous qui ne sommes pas achetables. Parce que l'on nous a toutes « ramassées dans le ruisseau », comme disait plaisamment Courbet à mon propos, il nous est resté un peu de cette boue collée au corps et ceux qui s'y frottent emportent de cette boue. Ils sont marqués. Ils ont la lèpre.

– Alors, moi aussi, j'ai la lèpre ?

Julie, un court instant décontenancée, reprit en riant :

– Pour toi, j'effaçais la boue. Ou tu effaçais la mienne.

Elle l'entraîna vers un sofa, près des grandes fenêtres qui s'ouvraient sur le boulevard. Hector regarda du côté du chantier de l'église Saint-Augustin. Des poutrelles de fer se courbaient en arceaux. Baltard, toujours lui, qui n'employait qu'à contrecœur ces structures métalliques imposées par son ami Haussmann. Hector se détourna très vite de ce chantier qui lui rappelait cruellement son incompréhensible suite d'échecs.

Julie, l'observant, reprit :

– En détruisant l'Empire, c'est toi aussi que je venge.

– Mais pour qui te prends-tu ! Proudhon aussi croyait que l'Empire n'avait aucun avenir, pourtant il est là depuis douze ans et plus solide que jamais.

Julie attira près d'elle Hector, sur le sofa de velours rouge, lui prit tendrement les mains.

– Écoute-moi. Je ne suis pas seule. Je te l'ai dit. Toutes ces filles tirées du ruisseau et qui se sont hissées dans le gratin, nous nous voyons souvent, chez l'une ou chez l'autre. De folles soirées au champagne. Et nous parlons de nos chasses, de nos prises. De ceux que nous avons ruinés. De ceux que nous ruinerons. De la mise à sac de l'Empire. Mais oui, ne souris pas. Tiens, Thérèse, tu sais, la Païva, elle s'est offert un hôtel particulier dans le nouveau quartier des Champs-Élysées, en mettant le grappin sur un comte prussien. Les Prussiens, Badinguet qui les accueille avec tant de faveur ne se doute pas de ce qu'ils lui préparent. Non, Hector, ne sois pas bête, ne souris pas. Si tu entendais ce que nous pouvons apprendre d'un traversin à l'autre...

» Ils sont tous autour de nous, à nous renifler comme des chiens. Même ce nabot d'Adolphe Thiers, dont Badinguet nous avait purgés et qui remet son nez dans la politique, imagine-toi que je l'ai surpris à fouiner en bas de ma crinoline. Il est si petit qu'il cherchait à se glisser dessous. Je lui ai dit : « Monsieur Thiers, si c'est pour vous cacher, je veux bien, mais pour autre chose vous repasserez quand vous aurez renversé l'Empire. » Il a grimacé et m'a dit : « Je le renverserai. » C'est trop drôle ! Si lui aussi s'en mêle !

Une servante apporta un billet à Julie, sur un plateau d'argent.

Julie l'ouvrit, le lut lentement et le glissa entre ses seins, largement découverts.

– Morny me demande. Ne fais pas cette tête, mon tendre. À la guerre comme à la guerre. Nous nous rattraperons après la victoire.

Hector haussa les épaules. Décidément, Julie devenait vraiment folle.

Hector vivotait avec quelques maigres travaux : des cafés qu'il modernisait, un marché couvert, des jardins d'hiver vitrés qu'il posait en annexe dans des parcs du quartier Monceau. Il ne se doutait pas que ces dernières commandes lui étaient obtenues par Julie.

L'indifférence portée à son grandiose projet de couverture des Boulevards l'amena à étudier un projet plus simple. Puisqu'il passait pratiquement tous les jours à pied entre le boulevard de Sébastopol et le boulevard de Strasbourg, il avait remarqué la difficulté d'accès de l'un à l'autre, en traversant le boulevard Saint-Denis. Des voitures toujours plus nombreuses, des chevaux difficiles à arrêter lorsqu'ils allaient au trot, un afflux sans précédent de piétons, rendaient ce carrefour dangereux et incommode. Hector dessina donc un projet de passerelle en forme d'araignée à huit pattes. Pour donner un attrait supplémentaire à la faculté d'enjamber tranquillement les quatre voies qui se croisaient, Hector proposait, au sommet des huit escaliers, une galerie couverte avec des cafés et des cabinets de lecture, dont les fenêtres largement vitrées offriraient une vue panoramique vers la gare de l'Est et la place du Châtelet. L'aridité de cette structure métallique aurait été tempérée par une profusion de ce décor végétal qui lui était cher. Il y avait toujours, dans l'architecture d'Hector, un mélange de confort et de spectacle. C'est ce qui déroutait. On aime les genres uniformes. La complexité agresse. Ses contemporains, qui misaient sur le confort, répugnaient au spectaculaire et ceux qui n'aimaient que la fantaisie rejetaient la rationalité. Cette dualité, qui faisait l'une des grandes originalités d'Hector, contribuait à ce qu'il soit récusé par tous. On eût accepté, au-dessus du boulevard Saint-Denis, une simple passerelle et non cette extravagante manière de chevaucher les voies.

S'il s'agissait d'un pont, travail d'ingénieur, inutile d'ajouter des enjolivures. Hector, en réalité architecte et ingénieur, espèce nouvelle, inédite, insolite, entendait marier la technique et l'art. Or, il vivait en un temps où l'on considérait l'art comme un luxe inutile et même où l'on proclamait l'inutilité de l'art. L'industrie n'avait-elle pas la prétention, la certitude, de remplacer les beaux-arts ?

Les ingénieurs des frères Pereire, pressentant le génie d'Hector, avaient par contre trouvé en lui ce technicien visionnaire qui allait plus loin que leurs calculs. Mais à part Ambroise Lagut, aucun architecte ne l'avait soutenu. Certains lui volaient ses idées les plus neuves, les adaptaient à la mode bourgeoise et les annihilaient en les falsifiant. De plus, le souci constant d'Hector d'un habitat populaire conforme à la culture spécifique de la classe ouvrière et dont il avait conçu des exemples concrets avec son familistère et son athénée industriel, paraissait à ses confrères non seulement absurde, mais politiquement dangereux. Ils rétorquaient que, les ouvriers demeurant incultes, il ne pouvait exister de culture ouvrière et que seuls les membres de l'Institut possédaient la faculté de définir la culture architecturale, formée aux sources de l'art académique.

Ils prétendaient représenter la seule culture valable et leur culture n'était qu'une culture d'antiquaires.

Hector enrageait dans son atelier stérile. Il attendait avec anxiété et impatience les rendez-vous de Julie. Depuis qu'elle se vantait d'avoir capturé Morny, n'était-elle pas, plutôt, sa prisonnière ? Hector enrageait, dormait mal, se réveillait avec une gueule de bois qui n'avait même pas l'avantage d'être le résultat d'un plaisir de beuverie. Dès cinq heures du matin, dans le jour blafard, il partait au hasard des rues, marchant interminablement, croisait d'autres passants si nombreux à l'aube, que les architectes de l'Institut ne rencontraient jamais. À cette heure matinale, un pain sous le bras, leurs outils à la main, les ouvriers quittaient en effet leurs logis et, en groupes, effectuaient une ou deux heures de trajet pour gagner les chantiers ou les usines qui les employaient.

Il arrivait à Hector de se joindre à certains de ces groupes et de les accompagner en discutant. Avec les maçons du Limousin qui comprenaient mal le français d'Île-de-France, les contacts étaient difficiles. Ces Limousins dont les nantis disaient : « Manger beaucoup et travailler peu, telle est la loi des Limousins » ; sous prétexte qu'après avoir été embauchés à six heures ils s'arrêtaient à neuf pour aller déjeuner d'un bouillon et d'un pot-au-feu dans un boui-boui à cinq sous la portion.

D'abord surpris et réticents devant ce « bourgeois » cherchant à leur parler, ils finissaient, de rencontre en rencontre, par se confier à lui. Il leur paraissait un homme du métier. De leurs confidences, Hector percevait ce gouffre qui se creusait entre la classe au pouvoir, vautrée dans son luxe insolent, et cette marée ouvrière de l'aube. Le ressentiment contre la trahison des hommes de la deuxième République s'atténuait avec le temps. Maintenant une hostilité farouche à l'Empire grondait. Ces ouvriers savaient que les grands travaux qui les occupaient avaient fait monter le prix du mètre carré parisien, en vingt ans, de vingt francs à trois cents. Tous les parvenus de l'Empire s'enrichissaient dans cette spéculation organisée avec brio par le baron Haussmann.

Il n'y avait pas des fellahs qu'en Égypte ! Ces Limousins, ces maçons de la Creuse, débarquant à la fin de l'hiver du chemin de fer d'Orléans, construisaient aussi des pyramides à la gloire des nouveaux pharaons. La plupart logeaient dans des chambrées où s'alignaient sept ou huit lits occupés chacun par deux compagnons. Certains, moins bien reçus, devaient se contenter de paillasses sur le sol, avec une couverture de laine.

Hector enrageait. Il avait démontré ce qu'il était capable de faire rapidement pour un habitat populaire, sain, confortable et bon marché. De toute l'Europe, ne venait-on pas visiter son familistère plus célèbre que lui ? Si célèbre qu'il s'anonymisait et que l'empereur se vantait d'être en réalité le concepteur de cette réalisation exemplaire, qui demeurait ainsi une pièce unique, une curiosité, un caprice impérial.

14.

LE 19 janvier 1865 une nouvelle inattendue frappa douloureusement Hector. Pierre Joseph Proudhon, quitté voilà peu en excellente santé, mourut. À cinquante-six ans. La prison, l'exil, un labeur acharné de philosophe marginal et de publiciste, l'avaient prématurément vieilli.

Les obsèques discrètes de Proudhon suscitèrent néanmoins la première manifestation ouvrière depuis le coup d'État. Une manifestation silencieuse, disons plutôt un rassemblement, le premier rassemblement populaire toléré, une procession d'ouvriers désolés suivant le corbillard. Et dans ce cortège Hector remarqua tout de suite un homme vêtu de noir, son gibus à la main, insolite parmi ces hommes aux bourgerons de toile, passés sur leurs habits de travail. C'était Ambroise Lagut.

En ressortant du cimetière, Hector s'approcha d'Ambroise. Il avait beaucoup changé. Maintenant chauve et avec une barbe bien taillée, il ressemblait à Murger. Son teint était d'une pâleur extrême. Il serra longuement la main d'Hector en hochant la tête avec tristesse.

– Notre jeunesse qui s'en va avec le bon Proudhon.

– Je suis heureux de te retrouver ici, dit Hector. Tu n'as donc pas tout trahi ?

Ambroise ne se formalisa pas de cette pique. Il répondit calmement :

– Qui ne trahit pas ? N'as-tu pas trahi le génie que nous t'accordions ? N'as-tu pas trahi ton destin ? Refuser de s'accomplir, c'est aussi trahir. Quel gâchis que ta vie !

– Quel gâchis que la tienne !

– Ne crois pas que je sois toujours fier de ce que je réalise. Mais je réalise. Je construis. Je participe à ce formidable remodèlement de Paris qui se poursuit jour après jour. Cette avenue de l'Opéra, qui va du vieux Louvre aux jeunes boulevards, ce rond-point des Champs-Élysées, cette rue des Écoles qui borde le quartier Latin, l'île de la Cité toute neuve, la cathédrale Notre-Dame dégagée de sa cour des miracles lépreuse, les gares, les jardins publics, le Bois, les égouts, nous aurons construit un nouveau Paris, plus sain, plus commode, plus beau. Oui, plus beau ! Moins beau que tes dessins si purs, je le sais. Mais la pureté n'est-elle pas inhumaine ? Oui, il y a quelque chose d'inhumain chez toi. Julie, qui t'aimait tant, n'a pas pu supporter ta rigueur, à la fin étouffante.

– Ne me parle pas de Julie.

– Je ne t'en parlerai pas. J'aurais trop à te reprocher, là aussi. Trop à te reprocher de ne pas saisir ta chance et la conserver.

Agacé, froissé, Hector rompit là et s'en fut, sans saluer son ancien ami qui le regarda tristement s'éloigner.

Un second décès, aussi inattendu que le premier, survint le 10 mars, celui de Morny. Morny, l'exact contemporain de Proudhon, à trois ans près, et son parfait antagoniste.

Comme il se doit, autant les obsèques de Proudhon avaient été simples, autant celles de Morny furent fastueuses. La salve de coups de canon qui marqua le départ du convoi, en fin de matinée, fit sortir Hector de son atelier. Sur le boulevard, tout le monde commentait les cérémonies. Il pleuvait. Une pluie fine, printanière. On lui raconta que six chevaux noirs traînaient le char funèbre, que trois carrosses suivaient dans lesquels on reconnaissait les membres du haut clergé et les ministres, qu'une double rangée de soldats au garde-à-vous présentaient les armes sur le pont de la Concorde.

Hector fut entraîné vers l'église de la Madeleine où une foule de curieux s'amassait. On murmurait que l'archevêque-sénateur, zélateur de l'Empire, Mgr Darboy, venait de prononcer l'absoute. Le cortège se dirigea bientôt vers le cimetière du Père-Lachaise. À la pluie, succédaient des flocons de neige.

Hector rentra rue du Sentier. Y trouvant un billet de Julie, il se précipita boulevard Malesherbes. Julie n'avait évidemment pas assisté à la cérémonie et ne portait pas le deuil. Surexcitée, elle accueillit Hector en s'écriant :

– Je t'avais bien dit que je le crèverais. Nous les crèverons tous. La Schneider a enfin crevé, elle aussi, son duc de Gramont, en lui soutirant un legs de cinquante mille francs.

– Je n'aime pas te voir défigurée par la haine, dit Hector. Tu y perds ta grâce.

Julie, emportée par ce qu'elle considérait comme une victoire, poursuivit :

– Il est arrivé chez moi fanfaron, sûr de toutes ses conquêtes, étalon piaffeur. Il avait de quoi crâner. Quelle fougue, au lit ! Quelle bête ! Il en avait sabré, des coquines, qui demandaient grâce. Moi, je me suis dit que j'arriverais bien à l'user. Ce chaud lapin avait toujours froid. Avant qu'il arrive, mes filles devaient chauffer au rouge tous les poêles. Cette froideur, dans ses veines, annonçait sa décrépitude. Oui, je me suis juré que je l'userais. Quand je le voyais arriver ici, avec son haut-de-forme planté en arrière, sa voix traînante, ses gilets violets, il m'effrayait parfois un peu. Lui, si près du pouvoir, lui qui détenait en réalité tout le pouvoir, dont son demi-frère n'était que la potiche, me l'approprier, pour moi toute seule, à ma merci, me donnait des frissons dans le ventre. Il gardait de l'armée d'Afrique des habitudes à la hussarde. Quand il était pressé, il n'allait pas jusqu'au lit. Il s'asseyait dans un fauteuil, là, et il fallait que je retrousse mes jupes et que je fasse tout le travail en le chevauchant. Je voyais bien que je commençais à l'user. Son médecin me harcelait de reproches. Il devait lui prescrire des aphrodisiaques à base d'arsenic. Ça m'a aidée. À nous deux, on a fini par le tuer.

Hector, effaré, avait envie de vomir. Dans son exaltation Julie perdait de sa beauté. Il voyait avec horreur Morny déteindre sur elle.

Ouvrant un coffret, Julie en sortit une sorte de gros bijou qu'elle lança à Hector. Il reconnut la plaque de grand officier de la Légion d'honneur.

– Il est venu un soir après une réception aux Tuileries, dans son habit de gala constellé de décorations. Avec ses manières brusques, en me serrant contre lui cette breloque s'est accrochée à ma robe. Je ne m'en suis aperçue qu'après son départ. Tiens, je te la donne.

Hector se débarrassa précipitamment de l'insigne qu'il rejeta au loin.

– Tu peux rester cette nuit, dit Julie.

– Non. Je me dois de respecter ton deuil.

Il partit en toute hâte, avec la certitude désespérée qu'il ne reviendrait jamais.

Et pourtant il revint. Dans des conditions qui allaient assombrir d'une manière indélébile le reste de sa vie.

Paris, redessiné au tire-ligne par un essaim de bureaucrates sous la férule du préfet Haussmann, Paris aux grandes avenues rectilignes, aux immeubles alignés comme des soldats à la parade, répondait à deux critères : dégager des artères où des barricades ne pourraient être improvisées, des artères permettant les charges de cavalerie et les tirs au canon, mais aussi assainir en détruisant les îlots insalubres. Les quartiers de la misère rasés, le peuple repoussé au-delà des octrois, les immeubles raccordés à un réseau d'égouts, autant de facteurs qui semblaient avoir éliminé le fléau des épidémies terrifiantes et, notamment, du choléra.

Comme le choléra, à Paris, en 1832, décima surtout les plus démunis, dans les quartiers les plus infâmes, on y vit un juste châtiment de Dieu après les barricades de 1830. Mais en 1849, le choléra, qui eût pu passer encore pour une punition divine après les égarements populaires de 1848, déborda les îlots insalubres et courut dans les beaux quartiers où il tua notamment l'immortel maréchal Bugeaud. Les grands travaux d'Haussmann auront donc en priorité pour objet l'hygiène et la sécurité.

Pas de barricade, pas d'insurrection sous le second Empire. Pas de choléra, non plus, jusqu'en 1865. Et soudain le fléau revint, terrifiant, galopant d'une rue à l'autre, d'un pâté de maisons à un autre groupe compact d'immeubles, d'un quartier que l'on croyait assaini à un quartier de luxe. Stupeur et consternation.

L'administration d'Haussmann transformait Paris, mais n'avait pas réussi à transformer aussi vite les mentalités des citadins. Toutes les mesures sanitaires imposées par les bureaucrates paraissaient d'inadmissibles contraintes. Se laver semblait aussi extravagant aux riches qu'aux pauvres, les baignoires n'étant qu'une curiosité de la haute bourgeoisie. L'eau pure, que l'on transportait traditionnellement à domicile dans de grands tonneaux sur roues, demeurait un privilège. Rien de plus facile que de continuer à puiser l'eau polluée de la Seine, bien que la préfecture l'ait déclarée impropre à la consommation. Ces travaux d'hygiène d'Haussmann lui valaient la réprobation de ses concitoyens qui en contestaient le goût et l'utilité. L'urbanisme policier d'Haussmann lui donnait la reconnaissance des Parisiens, la spéculation immobilière faisait sa gloire, les travaux hygiéniques commencèrent à le déconsidérer.

Loin d'établir une relation entre le choléra et la crasse, les Parisiens eurent plutôt tendance à accuser les égouts de véhiculer les miasmes. Et cette eau qui circulait sous terre, grimpait dans les immeubles par des tuyaux de plomb, n'était-elle pas empoisonnée à dessein ? L'idée d'un empoisonnement concerté courut aussi vite que le choléra. Hector, attiré par un attroupement rue Saint-Denis, vit avec horreur que l'on pendait un homme à un réverbère. « Il a infecté les puits », disait-on. Depuis le coup d'État du 2 décembre 1852, Paris n'avait pas connu une pareille fureur. Non, en réalité le coup d'État n'avait pas engendré un tel chaos. Il fallait remonter à juin 1848. La putréfaction du second Empire, jusqu'alors masquée par la vie de cour, les profits fulgurants, les mœurs dissolues, cette putréfaction crevait, répandait son odeur de fumier, son purin. On voyait sortir des immeubles des hommes et des femmes titubant, tombant à terre, se tordant dans des spasmes, vomissant par tous leurs orifices, maculés d'excréments, incapables de se relever et agonisant seuls, tous leurs proches ayant décampé.

Hector, hébété, stupéfait, allait au hasard des rues, parmi une foule de gens qui, comme lui, fuyaient l'innommable. Chacun suspectait son voisin d'être porteur du poison. On ne croyait pas à une maladie, mais à d'étranges conspirateurs qu'il fallait découvrir et châtier. Des remous se produisaient dans cette foule égarée et certains prenaient l'initiative de fouiller des suspects. Du côté de l'Opéra, Hector se heurta à un attroupement hostile. On avait découvert de la poudre blanche dans les poches d'un bourgeois et on le menait au poste de police le plus proche. Les fuyards enjambaient les malades couchés dans la rue, repoussant du pied les morts qui encombraient le chemin, se hâtaient vers la périphérie, vers la campagne que l'on croyait saine.

Hector marchait. Il arriva devant l'église de la Madeleine où une ruée s'engouffrait, comme si cet asile de paix la protégerait des vibrions cholériques, alors qu'elle apportait avec elle la contagion qui, dans cette enceinte, se propagerait encore plus vite.

Hector marchait. Il remonta le boulevard Malesherbes, se trouva bientôt devant l'hôtel particulier de Julie. Il s'était promis de ne pas revenir et maintenant la curiosité le poussait à sonner à la porte cochère. Julie avait-elle fui ? Avait-elle conscience du danger de demeurer seule dans ses appartements aux fenêtres toujours closes, jamais aérés, calfeutrés par de lourds rideaux de velours ?

Personne n'ouvrit. Un défilé d'hommes excités, braillards, remontait le boulevard Malesherbes. En tête, marchait un colosse qui traînait quelque chose au bout d'une corde. Hector s'approcha. Ce quelque chose était un homme inanimé. À son habillement, Hector reconnut un de ces ouvriers limousins, si nombreux dans les chantiers de la capitale.

– Voilà le choléra morbus ! s'écria le colosse.

Ils remontaient vers le parc Monceau.

– Pourquoi lui ? demanda Hector.

– Les Limousins ne se nourrissent que de melons et le melon transporte le choléra, c'est bien connu. Ce salaud a empoisonné tout notre faubourg. On l'amène dans le quartier des riches. Faut qu'ils en profitent aussi, du choléra morbus !

Hector revint devant la porte cochère de la maison de Julie, pénétra dans la cour, monta au premier étage. L'immeuble était désert. La porte du salon restait entrouverte. Pas de soubrette au museau de souris. Un grand silence. En avançant dans l'appartement, Hector perçut un gémissement. Il se précipita dans la chambre. Vit Julie étendue sur le lit ; ou plutôt un corps convulsé, les vêtements maculés d'excréments, recroquevillé sur les couvertures. Était-ce Julie que cette vieille femme aux joues creusées, à la peau plissée, aux yeux excavés ? Oui, puisqu'elle murmura :

– Hector, mon Hector, ne t'approche pas. Je vais crever, comme Morny. Je l'ai eu, mais il m'a eue aussi. C'est sans doute lui qui m'a refilé le mal.

Hector fut saisi d'une peur intense, effrayé par le choléra qu'il voyait là dans toute son horreur. En même temps, il ne pouvait imaginer d'abandonner Julie.

– Il faut que tu boives. Beaucoup.

– L'eau est empoisonnée. Mes servantes me l'ont dit.

– Où sont-elles ?

– Je ne sais pas. Ah ! Regarde dans le salon... Mon coffret... Mes bijoux...

– Qu'importent tes bijoux. Il faut que tu boives.

Il se précipita à l'office, emplit une cruche d'eau, revint en toute hâte, desserra les mâchoires de son amie, qu'elle serrait convulsivement, la força à avaler un peu de liquide.

– Mon coffret... Apporte-le-moi.

Il courut au salon, apporta le coffret.

Julie, qui vomissait, ne pouvait ouvrir la boîte, incrustée de nacre. Hector força le couvercle. Le coffret était vide.

Julie voulut hurler, râla seulement :

– Voleuses ! Voleuses !

Elle hoquetait. Ses vomissements s'accentuèrent. Ce liquide infect qui sortait de ses entrailles se répandait sur la soie blanche du lit. Sa belle chevelure rousse était devenue terne et la sueur plaquait, sur son crâne, ses cheveux raidis.

Hector saisit une main de Julie dans la sienne. Froide, très froide. Il perçut le pouls qui battait vite, vite. Julie vomissait d'étranges matières blanches qui ressemblaient à des grains de riz.

– Ça t'a pris quand ?

– Deux jours... Dix... Je ne sais plus.

D'une voix très faible :

– Va-t'en, Hector. Laisse-moi mourir, comme une chienne.

– Je vais te ramener un médecin. On te guérira.

Il faut que tu guérisses. C'est fini, maintenant, tu laisseras tout ce décor de cocotte et nous vivrons ensemble, comme autrefois.

Julie s'efforça de sourire. Par ce sourire, elle remerciait Hector. Elle reprenait aussi espoir. Il la tirerait de là. Elle ne connaissait pas le logement de la rue du Sentier. Soudain, elle se sentit mieux à l'idée d'aller avec lui, là-bas.

Hector courut à la recherche d'un médecin. Il demandait sur le boulevard où il pourrait en trouver un et on lui riait au nez. Ceux qui avaient soigné les premiers cholériques étaient morts. Les autres se dérobaient.

Après plusieurs heures de vaines démarches, il revint près de Julie. Tombée du lit, le visage comme écrasé sur le gros tapis de laine, elle s'était raidie, figée dans une ultime convulsion.

Il retourna le corps. Julie ouvrait les yeux très grands et le regardait fixement, trop fixement, dans une sorte d'immense stupeur.

Il la secoua, voulut la relever. Comme elle avait maigri, si vite ! Il pensa, bêtement, que Courbet ne reconnaîtrait plus son si beau modèle. Il la recoucha péniblement sur le lit. Dut bien convenir, dut bien accepter qu'elle était morte. Elle allait avoir trente-quatre ans.

15.

À FORCE de boursouflures, l'Empire commença à se craqueler. Privé de l'assurance de Morny, Napoléon III devint pessimiste et sa santé, de plus en plus mauvaise, servit de baromètre à l'Empire. La Bourse montait quand on le voyait à cheval dans l'allée de l'Impératrice, trottant vers le Bois, elle baissait lorsqu'il n'apparaissait plus en public.

Au début de son règne, par des largesses répondant à son projet socialisant d'« extinction du paupérisme », Napoléon III maintint le calme dans la classe ouvrière déçue par la deuxième République. Par ses largesses et surtout par sa police, puisque toute association de plus de vingt personnes était interdite et que tous les travailleurs restaient tributaires d'un livret constamment remis à jour.

Les fortunes rapidement acquises dans l'industrie et le commerce faisaient illusion. Jamais on n'avait tant gaspillé pour un luxe ostentatoire et jamais la classe ouvrière n'avait été aussi misérable. L'ouvrier dépensait le tiers, voire la moitié de ce qu'il gagnait pour acheter du pain. Le baron Haussmann reconnaissait lui-même que, sur un million sept cent mille Parisiens, un million souffraient de la faim.

Haussmann avait repoussé ces pauvres, ces marginaux, cette population migrante venue de la province, au-delà de l'enceinte des murs de Paris, et cette horde qui s'était installée dans la gueuserie de la zone effrayait maintenant la bourgeoisie parisienne. Le peuple barbare cernait Paris.

La jeune monarchie prussienne, qui avait infligé l'année précédente à Sadowa une humiliante défaite à la vénérable Autriche-Hongrie, envoya à l'Exposition universelle de Paris, en 1867, un canon de cinquante-huit tonnes, coulé par Krupp, pouvant projeter des obus de cinq cents kilos, et la cour de Napoléon III, comme ses opulents sujets, ne percevait pas là l'ennemi potentiel, s'obstinant à ne voir de redoutable que son propre peuple.

L'Empire dansait, dansait au bal Bullier, dansait le cancan, la polka, la valse. Mais la révolte commençait à gronder. Une relative liberté de la presse suscitait des journaux antibonapartistes. En se libéralisant depuis la mort de Morny, l'Empire se fragilisait. Comme l'empereur, malade, prématurément vieilli, il s'affaiblissait.

Paris dansait. Paris, qui avait été la tête de la France, « n'en est plus que les jambes », écrivait Henri de Rochefort, redoutable polémiste, éditeur d'une brochure de soixante-deux pages, *La Lanterne*, violemment antibonapartiste.

Des jambes qui se lèvent le plus haut possible dans le cancan pour montrer les cuisses sanglées de jarretières et les culottes fendues. Des jambes qui s'ouvrent à la concupiscence des monarques, des princes s'empressant à visiter le « gai Paris ». Offenbach est le maître de ballet de ces réjouissances et la chère (très chère !) Hortense Schneider le plus bel appât. On l'avait surnommée « le Passage des Princes ». À l'occasion de l'Exposition universelle de 1867 c'est plutôt de « passage des monarques » qu'il s'agit puisqu'elle « s'ouvre » au tsar, au négus, à Guillaume de Prusse, tous accourus pour se payer la grande-duchesse de Gérolstein. Seul le vieux François-Joseph d'Autriche, dispensé par l'âge, ne rendit pas hommage à l'Hortense, à ce que l'on dit.

Morny est mort de mort naturelle, dans ce craquement sinistre du second Empire. Le baron Haussmann va mourir de mort politique. Jules Ferry ayant dénoncé les montages financiers de ce qu'il appelle « les comptes fantastiques d'Haussmann », le vice-empereur dut abandonner ses fonctions. Du même coup, les grands travaux, entraînés par la spéculation immobilière, s'arrêtèrent et cent mille chômeurs se retrouvèrent sur le pavé.

Cent mille hommes disponibles pour la rancœur et la révolte.

Dans son atelier de la rue Hautefeuille, Gustave Courbet qui, depuis la mort de Morny, avait rompu définitivement toute relation avec l'Empire, peignait une toile licencieuse en souvenir de celui qui avait aidé ses débuts. Morny, si friand de sexes féminins, avait souvent confié à son ami Courbet sa fascination pour les lesbiennes, lui disant que la femme atteignait son ultime perfection dans l'accouplement de ce que Baudelaire appelait « les femmes damnées ».

Courbet pensait à Morny et il pensait aussi à ses *Demoiselles des bords de Seine*, si correctement vêtues dans leur sieste en plein air et qui avaient tant choqué. Même le bon Proudhon y cherchait une justification moralisatrice : « Attention ! Ces demoiselles suant l'adultère suffiraient à détourner du vice. » Il en riait encore, Courbet, de la naïveté du philosophe et de sa pruderie.

Puisque l'on avait vu le vice là où il n'avait peint que le loisir au bord de l'eau, il s'amusa à déshabiller ces demoiselles des bords de Seine et à les jeter l'une sur l'autre dans un lit. Comment aurait-il pu justifier ce tableau devant les yeux offusqués de Proudhon ? Ce partage du plaisir était-il socialiste ? Comment appeler un tableau aussi provocateur ? *Le Sommeil* ? Ou *Les Dormeuses* ?

Rien de caricatural dans ces lesbiennes. Au contraire, une sympathie charnelle. Après des années de retrait dans les paysages maritimes, les scènes de chasse, les arbres, les fleurs, Courbet redevenait faiseur de chair.

Il n'était pas à Paris lors de l'épidémie de choléra. Mais Hector lui raconta l'horreur des corps en décomposition. Il lui raconta surtout l'agonie de Julie. Peut-être cette corruption des chairs et cette décomposition de l'Empire, dont le choléra fut le signe avant-coureur, poussèrent-elles Courbet à revenir au nu, au nu très nu, à la nudité comme un hymne à la vie. Les lesbiennes du *Sommeil* sont des femmes splendides, pas du tout damnées, fières d'être voluptueuses.

Hector s'attardait chaque jour dans l'atelier de Courbet. Il n'arrivait plus à travailler depuis la mort de Julie. Ses projets d'architecture lui paraissaient vains. Il n'avait goût à rien. Il lui semblait que la mort de Julie l'amputait d'une part de sa propre vie, qu'il n'était plus qu'un survivant, étonné d'être encore là.

Seul Courbet, le robuste Courbet, à la santé de fer, buveur de tonneaux de bière, coureur insatiable de filles, bluffeur, mégalomane, le rattachait à l'existence.

Le matin, Hector errait dans les rues, en somnambule. L'après-midi, il descendait lentement vers la rive gauche, traversait la Seine, entrait angoissé dans l'atelier de la rue Hautefeuille, s'asseyait sur un tabouret, regardait Courbet peindre, retrouvait peu à peu une certaine sérénité.

Courbet l'égayait en blaguant, n'appelant plus l'empereur que « M'sieu Bonaparte ». Ses outrances, surtout lorsqu'il parlait des autres peintres, faisaient sourire Hector, bien que, depuis vingt ans qu'il fréquentait Courbet, il les connût par cœur. Sa détestation de la peinture italienne, si excessive, tournait au comique.

– Tout ça c'est de la mârde, disait-il avec cet accent franc-comtois qui amusait toujours Hector. Le Titien et Léonard de Vinci, ajoutait-il, sont des filous... Si l'un de ces deux-là revenait au monde et passait dans mon atelier, je prendrais un couteau.

Il ne disait pas qu'il prendrait un couteau à peindre. Hector, qui le comprenait, protestait néanmoins à propos de Léonard de Vinci :

– *La Joconde*, bah ! Mais le Vinci des machines volantes, le Vinci ingénieur, si ingénieux, quel cerveau que celui-là !

– David, reprenait Courbet qui n'entendait jamais les contradicteurs, David... un narrateur qui mutile la peinture... Delacroix... un dévergondage de formes !

– Quand même, répliquait Hector, Delacroix et ses *Femmes d'Alger*...

– Les orientalistes ? Foutaise ! Ils n'ont donc pas de pays, ces gens-là ?

Et Courbet parlait d'Ornans, de la Loue encaissée

entre de vastes blocs de roches moussues, avec d'épaisses frondaisons ensoleillées à l'arrière-plan. Il pouvait parler d'Ornans pendant des heures. Il en parlait avec une telle émotion qu'Hector ne s'en lassait jamais.

Courbet, tout en appliquant sa peinture sur la toile, par coups de pinceau très appuyés, comme s'il maçonnait à la truelle, disait lentement, avec gourmandise :

– C'est dans les doigts que réside le raffinement.

Travailleur infatigable, toujours gai, quel luron que Courbet ! Un animal, pensait Hector, le plus bel animal que j'aie jamais vu.

Même dans son atelier, on le trouvait en sabots, comme jadis Proudhon à la Conciergerie, ou en grosses chaussures de marche, fumant une bouffarde qui lui tordait les lèvres.

De plus en plus gros, il conservait toutefois des mains longues, élégantes, qui contrastaient avec son embonpoint. Ses yeux noirs, aux longs cils, éclairaient son visage envahi par une barbe opulente. Hector s'étonnait toujours de ce curieux mélange de rustre et d'artiste, d'intelligence et de naïveté, chez son ami qu'il admirait de plus en plus, qui était son seul réconfort.

– Ah ! les coquins, lui disait Courbet. Ils n'ont pas compris ton génie. Aucun architecte ne t'arrive à la cheville. Ambroise Lagut, ton ancien associé, est un jean-foutre. Ce siècle est imbécile. Ils n'ont pas compris non plus que je suis l'unique artiste de ce siècle. Mes contemporains font de l'art d'après des cartons. C'est pourquoi j'ai voulu encanailler l'art. J'ai donné à la peinture de genre les dimensions de la peinture d'histoire. Pas de funérailles romantiques ni de cadavres sur les champs de bataille chez moi. Mon *Enterrement à Ornans* est celui d'une mort anonyme, sans cadavre, d'ailleurs. Seulement le trou. Mes personnages ont toujours été des gens ordinaires, des paysans, des bourgeois, des femmes de village. Je leur ai reconnu le droit d'être peints grandeur nature, comme les héros de David. C'est ce qui a choqué. Représenter le peuple, après 1848, devenait insurrectionnel.

– Tu ne représentes plus que des femmes nues.

– Oui, nues. Pas de dentelles, pas de bas retroussés, pas de corsets coquins. Tiens, je vais te montrer quelque chose. Tu n'en parleras à personne. C'est un tableau secret, qui m'a été demandé par un Turc.

Au fond de l'atelier, il dégagea d'un drap noir un petit tableau qu'il vint placer devant Hector.

Quel choc ! Quelle émotion ! Pouvait-on parler de nu, de nudité, devant ce rectangle qui sectionnait un corps, du ventre au haut des cuisses, mettant en valeur, en seule valeur, le sexe, la toison pubienne peu épaisse, brune, avec des reflets roux, la fente aux lèvres légèrement écartées, qu'une tache rouge, au creux de la fissure, illumine ?

On stigmatisait l'indécence des nus de Courbet.

Pourtant, sa capiteuse *Femme au perroquet* a beau se renverser sur un drap blanc, ce drap se relève vers le ventre et cache ce que les peintres ont toujours caché. Et les lesbiennes du *Sommeil* masquent de leurs jambes entrelacées l'entrecuisse. Pas de poils intimes dans les nus des peintres. Jamais Courbet, si provocateur, n'avait lui-même osé dévoiler le sexe dans toute sa vérité. Maintenant, il osait. Et pour affirmer son audace, pour qu'elle soit bien explicite, il réduisait le corps féminin à un tronçon. L'impact du tableau, c'était justement le triangle poilu, toujours effacé. Et la fente du sexe entrouvert, montrée avec une précision anatomique.

Hector, médusé, regardait ce tableau inattendu, ce tableau incroyable que seul Courbet pouvait avoir entrepris.

– L'autel sur lequel se sacrifie l'Empire, dit le peintre.

Ce sexe féminin dévoilé, c'était en effet aussi l'abîme, le vertigineux gouffre, la goule qui dévorait les pantins lubriques, l'antre dans lequel venaient s'engloutir et disparaître les héros d'Offenbach, les princes d'Hortense Schneider, les amants de Julie.

Julie ! Hector se cacha les yeux avec ses mains crispées. Il avait cru reconnaître sur la toile le ventre de Julie. Serait-ce possible ? Courbet avait une telle mémoire visuelle ! Mais non, il avait tant vu, dans sa longue carrière de séducteur, tant vu de ventres, tant vu de sexes, tant vu de Julies...

Hector enleva les mains de son visage. Courbet avait replacé le tableau derrière le drap noir.

– Quel titre lui donneras-tu ?

– Je ne sais pas. Peut-être *L'Origine du monde*.

L'Empire se fissurait, craquait de partout. Pour éviter l'explosion, Napoléon III lâchait du lest. Quelques députés républicains avaient été élus en 1863. Une représentation ouvrière commençait à se reformer, par le biais de coopératives de plus en plus nombreuses et d'ébauches de syndicats interdits depuis quinze ans. Toutefois, si les condamnations pour « interruptions concertées du travail » étaient abrogées, les « entraves au libre exercice de l'industrie » tombaient sous le coup de la loi. Des grèves éclataient néanmoins, toujours violentes et violemment réprimées.

Depuis l'éviction d'Haussmann et la révélation des spéculations foncières, les finances se portaient mal. Le capital devenait frileux.

Les Pereire, ébranlés par l'échec d'une vaste opération immobilière à Marseille, se trouvaient fragilisés face à leurs anciens patrons et concurrents : les Rothschild. Demeurés fidèles à la doctrine saint-simonienne qui voulait que tout bénéfice fût réinvesti dans l'aide à l'industrie et au commerce, les frères Pereire avaient fini par obtenir le monopole, non seulement des chemins de fer, mais aussi de la Compagnie transatlantique, des Salins du Midi, de compagnies d'assurances et d'affaires aussi juteuses que les immeubles de la rue de Rivoli, ceux de la plaine Monceau, de la station balnéaire d'Arcachon, des magasins du Louvre.

Après la disparition de Morny qui reliait, comme on le sait, les Pereire à l'Empire, les Rothschild estimèrent que les temps leur redevenaient favorables. Détenteurs du pouvoir bancaire et notamment de la régence de la Banque de France, ils s'insinuèrent peu à peu à la Cour et réussirent assez vite à conquérir les faveurs de Napoléon III, agacé par la puissance trop ostentatoire des Pereire. Que les Rothschild eussent été jadis les familiers de la famille d'Orléans n'avait plus guère d'importance. Il fallait des hommes nouveaux pour sauver l'Empire. Si les Rothschild sentaient le réchauffé, leur pouvoir grandissait néanmoins au fur et à mesure que celui des Pereire s'affaissait.

Maintenant que la spéculation immobilière n'avait plus une aussi bonne odeur, les Pereire se trouvaient avec un parc immobilier trop important et peu rentable. Leurs architectes, et en premier lieu le plus célèbre d'entre eux, Ambroise Lagut, se virent privés brusquement de commandes. Il y a toujours un moment d'étonnement incrédule lorsqu'une situation bien établie, et qui n'a pas de raison de changer, s'écroule. À l'étonnement, succède l'inquiétude, puis l'effroi. Ambroise dut se séparer de ses meilleurs collaborateurs, termina quelques chantiers. Sa fortune était suffisamment considérable pour que ce contretemps ne le tourmente pas trop et qu'il en profite pour se donner quelque loisir. Il eut envie de rendre visite à Hector, demanda à son cocher de l'emmener rue du Sentier. Une fois là, il n'osa pénétrer dans l'immeuble. Que devenait Hector ? On n'entendait plus parler de lui. Allait-il lui raconter ses propres déboires ? Trop de temps s'était écoulé depuis leur dernière rencontre, depuis surtout la fin de leur association. Trop de temps. Trop d'incompréhensions mutuelles. À quoi bon ? Il intima au cocher l'ordre de rebrousser chemin.

Que les commandes architecturales se tarissent ne préoccupait pas trop Ambroise. Il avait acquis une telle audience, une telle faveur parmi les puissants de ce monde, qu'il construirait sans doute moins, mais il était impensable que l'on n'ait pas recours à ses services. L'inquiétait plutôt cet affrontement entre les Pereire et les Rothschild.

Le Crédit mobilier, banque d'affaires des Pereire, qui utilisait de l'argent à court terme pour des emprunts à long terme, ne pouvait faire face aux trop nombreuses demandes de retraits de fonds consécutives à la crise. Les Pereire sollicitèrent donc la Banque de France pour lancer un emprunt obligataire qui leur permettrait de redresser leur situation. Les Rothschild attendaient leur ennemi à ce tournant. Évidemment, ils refusèrent. Non seulement ils refusèrent cet emprunt mais, à la Bourse, ils jouèrent à la baisse pour écraser leur adversaire.

Privé de liquidités, le Crédit mobilier s'effondra, ruinant ses actionnaires. Dont Ambroise qui avait confié tout son capital aux Pereire, dispensateurs de sa fortune.

Incroyable de se savoir brisé du jour au lendemain. Alors que tout continue pareil. Rien ne changeait dans le superbe hôtel particulier d'Ambroise. Les meubles, les objets d'art restaient à leur place. La nombreuse domesticité s'affairait. Sophie, ravissante dans ses atours de grande dame, offrait le thé à ses amies. Les enfants jouaient dans le parc, avec des cris joyeux.

Ambroise, seul, savait que tout cet apparat, que tout ce confort, allaient disparaître. Il avait misé sur les Pereire. N'était-ce pas normal puisqu'ils avaient si généreusement misé sur lui ? En perdant leur prospérité les Pereire le laissaient à l'abandon. Il se savait perdu, irrémédiablement perdu. Comme l'Empire, il en éprouvait soudain l'affreuse certitude, était également perdu. Ambroise se voyait bizarrement sur un navire qui prenait eau. Pourtant, jamais il n'était monté sur le pont d'un bateau. Jamais il n'avait vu la mer, sinon de loin, à Arcachon, lorsqu'il construisait des hôtels pour les Pereire. Et la mer lui parut alors d'une telle extravagance qu'il ne s'en approcha pas.

Dans sa belle maison toute neuve, il lui sembla brusquement que le plancher bougeait, ondulait comme les vagues sur les tableaux de Courbet. Il se rendit dans son bureau, s'assit à sa vaste table de travail encombrée de dossiers, ouvrit un tiroir, en sortit un pistolet, se tira une balle dans la tête.

Sophie et ses amies prenaient tranquillement le thé, agrémenté de quelques pâtisseries. La détonation, assourdie par les pièces intermédiaires, ne les surprit pas. Il y avait de l'agitation en l'air depuis quelque temps. Sophie dit en souriant :

– Voyez-vous ça, qu'ils nous fassent de nouveau des barricades.

16.

À L'APPROCHE des élections législatives de 1869, l'agitation gagna la province. Dans le bassin de la Loire et dans l'Aveyron, les mineurs s'affrontèrent à l'armée. Près de Saint-Étienne, à La Ricamarie, la troupe tira et tua treize houilleurs. Près de Villefranche-de-Rouergue, quatorze sidérurgistes tombèrent sous les balles des soldats et l'on releva vingt blessés.

Le peuple, partie négligeable pendant tout l'Empire, bougeait, grondait, s'organisait. Les grèves spontanées suscitaient la création de chambres syndicales, désormais tolérées, et de sociétés ouvrières de secours mutuel.

Non loin de la rue du Sentier, au 6 de la rue de la Corderie, un Cercle d'études sociales tenait ses réunions. Hector, convié à l'une d'elles, y fut reçu avec une grande chaleur par les militants ouvriers qui reconnaissaient en lui le précurseur de l'habitat populaire et le théoricien de l'athénée industriel. Un relieur, Eugène Varlin, étonna Hector par son autorité et sa culture d'autodidacte. Deux mécaniciens, quatre travailleurs du bâtiment, commentèrent intelligemment ses projets, en critiquant certains comme la couverture des Grands Boulevards qu'ils jugeaient inutile puisque seulement conçue pour l'agrément des oisifs. Par contre, les deux mécaniciens approuvaient tous ses édifices aux structures métalliques, dont ils connaissaient parfaitement les projets, y ajoutant des remarques pertinentes.

Varlin demanda à Hector s'il consentirait à prononcer dans leur cercle une conférence sur l'architecture de l'avenir. Il préviendrait les autres sociétés amies et le public serait certainement au rendez-vous.

Varlin réunit deux cents personnes. Jamais Hector n'avait parlé devant un tel auditoire. Jamais, non plus, il n'avait vu assemblés, en un même lieu, depuis juin 48, autant d'ouvriers.

Il improvisa pendant deux heures, sans s'arrêter, écouté par une assistance silencieuse et attentive à toutes ses démonstrations. Entraîné par son auditoire, qui pourtant ne l'interrompait pas et ne lui posait aucune question, son discours fut plus politique que technique. Toutes ses rancœurs, tous ses échecs, affluaient. Ces hommes, éliminés comme lui de la gestion des entreprises, comprenaient ses motivations et ce que l'on appelait, avec dérision, son utopie. Eux aussi, il l'avait pressenti dès leur première rencontre, étaient des utopistes, rêvant d'égalité entre les hommes, de liberté totale, de travail utile, de concorde entre les peuples débarrassés de leurs gouvernants, de leurs armées, de leurs Églises.

L'architecture, la ville, qu'il décrivait, joignait toujours l'agréable à l'utile. Il demandait que l'on supprime les fortifications qui ne sont qu'un reste de barbarie, en consacrant les espaces dégagés au jardinage et en réemployant les pierres des murs pour construire des écoles, des gymnases, des bassins de natation, des asiles de secours pour les travailleurs, des théâtres d'hiver et d'été qui, disait-il, « moraliseraient d'une manière attrayante, instruisant le peuple en le divertissant », que l'on démolisse les octrois ; que l'on édifie des abattoirs et des suifferies là où sont élevés les bestiaux, près des lignes de chemin de fer, afin que les viandes abattues demeurent fraîches au moment de la vente ; que l'on interdise tout tapage, toute musique discordante, et en premier lieu, précisait-il, « les clairons et les tambours qui assourdissent et paralysent les travailleurs de la pensée » ; que l'on utilise le palais de l'Élysée comme bibliothèque publique, avec des salles de conférences, des cours théoriques et pratiques, des expositions constantes et internationales de productions artistiques ; qu'au lieu d'un champ de courses hippiques, entre la Seine et le bois de Boulogne, on établisse une colonie agricole, une ferme modèle, avec démonstration permanente de machines agricoles, de méthodes et d'expériences tendant à améliorer l'industrie alimentaire.

Il rappela ses projets, la manière dont ils avaient été plagiés, comment on les lui avait volés, comment on se moqua de ses théories. Il parla de Proudhon, de Courbet. Il parla de l'Égypte et des fellahs. Ne dit rien des almées. Il évoqua Ambroise, dont il avait appris la ruine et la mort tragique, sans citer son nom, mais comme un exemple des erreurs de la politique de l'Empire et de la preuve de son agonie. Il aurait pu parler pendant trois heures, quatre heures, pendant toute la nuit. Devant ces hommes si attentifs, il avait enfin trouvé son public, il avait enfin trouvé ceux pour lesquels il concevait ses projets et, avec eux, il en avait la certitude, ces projets ne resteraient pas vains.

Lorsqu'il acheva son discours, il y eut un long silence. Puis, d'un seul élan, ces hommes muets, assis sur des bancs de bois et des tabourets, se relevèrent et crièrent d'une voix gutturale, d'une voix d'orage, quelque chose qu'Hector ne comprit pas.

Varlin s'avança, lui serra frénétiquement la main.

– Je savais que vous étiez un ami de Proudhon.

– Qu'ont crié vos amis ?

– Ils ont salué avec chaleur votre discours. Vous aviez cité Proudhon, Courbet, ils ont voulu vous lancer un autre nom : Marx.

– Qui est Marx ?

– Un philosophe allemand, à l'origine de l'Internationale des travailleurs, à laquelle certains d'entre nous adhèrent avec enthousiasme. Nous vous faisons confiance. N'en parlez pas.

Hector revint chaque semaine au Cercle d'études sociales. Depuis sa rencontre avec les ingénieurs des Pereire, il n'avait jamais fréquenté des hommes dont il se sentît aussi proche. Néanmoins, leur rudesse le heurtait un peu. Lui, né d'un père ouvrier, et qui avait grandi dans le quartier misérable de la Mouffe, se découvrait parfois en porte-à-faux parmi eux. Il voyait bien qu'ils le considéraient comme un intellectuel, si fraternel, mais quand même d'un autre monde.

La plupart, surtout les cordonniers, nombreux dans l'association, ressemblaient à Proudhon avec leurs barbes épaisses et leurs fines lunettes de myopes. Ils avaient des yeux doux, des allures de saints et proféraient des paroles terribles, ne croyant plus qu'à l'émeute, à la violence, à la nécessité du sacrifice, à l'hécatombe. Il fallait faire table rase et, après, un monde nouveau, régénéré, se construirait.

Varlin répétait pourtant que les individus arrêtés au bois de Boulogne, alors qu'ils déroulaient un paquet d'une centaine de mètres de corde goudronnée creuse contenant de la poudre, n'étaient pas des leurs.

– Attendons le moment propice, lui disait-il. De tels actes ne peuvent actuellement que nous discréditer. Des provocateurs, peut-être ? La police en regorge. Ou bien des anarchistes trop pressés, comme ceux qui se proposaient de chambarder Paris en se servant des catacombes comme d'une galerie de mine. Pourquoi ont-ils été arrêtés si vite ? Trop bavards, trop imprudents, ou poussés par des mouchards, sans qu'ils s'en soient rendu compte. Ne pensez pas que notre paisible association reste sans surveillance. La police n'ignore pas que notre Cercle d'études n'est qu'un prête-nom. Elle n'ignore pas que j'appartiens à l'Internationale. Nous sommes environnés de pièges.

L'Empire vacillait sur sa base, sur cette base que formait le peuple longtemps muet et qui se réveillait. Pourtant, les élections législatives de mai confirmèrent que le sommet restait immuable. En juillet, les Champs-Élysées ornés d'oriflammes furent envahis par une foule enthousiaste qui célébrait le centième anniversaire de Napoléon Ier. Une nouvelle fois plébiscité, Napoléon III semblait éternel.

Si éternel qu'il osa défier la Prusse un an plus tard. Le 18 juillet, l'Association internationale des travailleurs lança un appel aux ouvriers allemands et français pour qu'ils s'opposent à la guerre. Hector aida Varlin à l'affichage de cette proclamation. Il se sentait maintenant tout à fait lié à ses nouveaux amis, et notamment à Varlin. L'appel à la désobéissance ne donna aucun résultat. Bien au contraire, un enthousiasme guerrier saisit la population. Les militaires, qui avaient envahi les jardins des Tuileries, sac au dos, bidon au côté, se préparaient joyeusement à monter vers l'est.

– Ils s'en vont à la guerre, comme s'ils allaient à la soupe, dit Varlin.

Les hostilités commencèrent le 2 août. Un mois plus tard, toute cette brillante armée, caracolante, fêtée comme un corps de ballet, qui tenait le devant de la scène si orgueilleusement depuis dix-huit ans, s'effondrait dès les premières attaques de l'armée prussienne. Jamais la France n'avait subi pareille défaite depuis Waterloo. À croire que les deux empereurs s'y connaissaient en désastres.

Napoléon III prisonnier des Prussiens à Sedan, avec trente-neuf généraux et toute l'armée du maréchal Mac-Mahon, les dignitaires de l'Empire et tous ses profiteurs quittèrent Paris en hâte. Hector, qui arpentait les rues de la capitale comme à son habitude, vit sur une échelle un bourgeois qui effaçait derrière l'Opéra l'inscription boulevard Haussmann et la remplaçait par boulevard Victor-Hugo. Une foule énorme envahissait les rues, se dirigeant une fois de plus vers l'Hôtel de Ville. Cet Hôtel de Ville où il s'était fourvoyé dans une réception du baron Haussmann et où on l'avait piégé. Hector s'en voulait de ce seul moment de faiblesse. Aujourd'hui,

4 septembre 1870, à six heures du soir, se formait à l'Hôtel de Ville un gouvernement provisoire. On se bousculait derrière un homme qui écrivait à la craie sur la façade du monument la liste des membres du nouveau pouvoir. Grimpés en haut des mâts, des ouvriers en blouse déchiraient le blanc et le bleu des drapeaux. Un bourgeois en redingote traçait en lettres énormes, sur l'un des portails fermés : « La République est proclamée. » Dans les rues, les bouquetières ne vendaient que des œillets rouges.

Le 19 septembre, les Prussiens parvenus aux portes de Paris bouclaient la capitale, poussant à l'intérieur de la ville toute cette banlieue qui en avait été rejetée par la spéculation du Paris des riches. Il se produisit alors un phénomène inattendu, extraordinaire : les pauvres, les ouvriers, tous ceux qu'Haussmann appelait les « nomades », rentrèrent dans ce Paris du second Empire dont ils avaient été chassés. Avec eux, fuyant les uhlans, arrivaient les charrettes des paysans et leurs troupeaux, les carrioles des maraîchers, les voitures à bras des artisans, toute une longue file de femmes hagardes, d'enfants pieds nus, d'hommes pliant sous les fardeaux de leurs outils de travail. Ils regardaient avec surprise, et une certaine crainte, ces beaux immeubles qui escortaient les nouveaux boulevards. Certains s'installaient sous les porches. Les femmes dégrafaient leur corsage pour donner la tétée aux enfants. Les hommes restaient debout, perplexes, guettant on ne sait quoi. Revenus dans Paris, maintenant ils ne savaient plus trop quoi y faire. Ils ne reconnaissaient pas la ville, si transformée, quittée voilà plus de quinze ans, sans jamais y retourner. Ces rues trop droites, ces bâtiments tout neufs, ce vide laissé par les suppôts de l'empereur qui avaient fui du côté de Versailles, ou plus loin ; tout cet ordre, ces ruelles disparues, ce quartier de la misère autour de Notre-Dame, qu'ils pensaient retrouver, avec ses bouges bon marché, ses tavernes accueillantes, ses petits trafics, ses misérables combines, tout cela avait disparu. Devant la cathédrale, ils découvraient désormais une grande place nue où des mobiles et des lignards campaient, leurs fusils en faisceaux.

Les paysans, dételant leurs chevaux et leurs ânes, les parquaient dans les squares où ils broutaient les massifs. Dans le jardin des Tuileries, dans le parc du Luxembourg, les troupeaux de moutons dévoraient les pelouses. L'Empire s'était écroulé d'un seul coup, comme un château de cartes. Ceux qui arrivaient ne connaissaient pas la règle du jeu.

Hector, ayant appris qu'une réunion de délégués ouvriers se tenait près de chez lui, salle de l'Alcazar, rue du Faubourg-Poissonnière, espérait y rencontrer Varlin. La réunion était à la fois houleuse et enthousiaste. Varlin, sur l'estrade, s'en prenait violemment au gouvernement provisoire, déclarant qu'il fallait proclamer « la République rouge » en élisant les membres de la Commune de Paris. La Commune !

Pour la première fois Hector entendait ce mot qui allait être porteur de tant d'espoirs et de tant de drames. Les délégués se montraient résolus de former une armée populaire pour empêcher les Prussiens d'entrer dans Paris. Plutôt détruire Paris que de se rendre, hurlait un homme très agité, la voix cassée par l'émotion. À quoi Varlin répliquait calmement que l'on devait procéder à une levée en masse de gardes nationaux, organiser des « compagnies de barricadeurs », et ne pas laisser les canons aux mains de l'armée régulière, trop peu sûre.

Lorsque la réunion se termina, Hector attendit Varlin.

– Je ne savais où vous trouver, lui dit celui-ci. Bien sûr, nous comptions sur vous. Êtes-vous en relations avec Courbet ? Lui, nous a déjà rejoints. Nommé président de la Commission des arts, il s'emploie à protéger les collections nationales. Les chefs-d'œuvre du Louvre, grâce à lui, seront préservés des bombardements. Car nous devrons peut-être soutenir un long siège. Mais de cette épreuve naîtra une nouvelle République, celle dont nous avons toujours rêvé : libre, égalitaire, incorruptible. Puisque Courbet assume la délégation aux beaux-arts, voulez-vous prendre en charge l'architecture, la ville... ? Le Paris des riches doit s'effacer. Il sera nécessaire de concevoir un Paris populaire. Vous avez vu cette population errante qui ne sait comment habiter dans ce Paris qui n'est plus bâti pour elle. Nous avons tous une grande tâche à accomplir. Votre moment est enfin venu, cher citoyen Hector. La ville de l'avenir sera celle que vous concevrez avec nous. Je vous nomme chef de l'Édilité publique.

Hector ne se mit pas tout de suite au travail. Il ne tenait pas en place dans son logement-atelier de la rue du Sentier. Le monde était trop sens dessus dessous. Il y avait trop d'agitation dans les rues, dans les cerveaux. Trop d'incertitude. Trop d'angoisse avec ce siège de Paris qui allait durer jusqu'à quand ? Par-dessus les forts d'Ivry et de Vanves les Prussiens lançaient des obus qui tombaient au hasard. On ne s'en inquiétait pas encore. De ce bombardement, les enfants faisaient un jeu, courant ramasser les éclats d'acier qu'ils revendaient un franc aux bourgeois. Aux barrières, les gardes nationaux, enveloppés de couvertures, la tête couverte de mouchoirs à carreaux, assuraient une flegmatique veille sous la pluie dense de l'automne.

Hector retrouva Courbet dans son atelier de la rue Hautefeuille. Il n'y peignait pas, tout à sa fonction de délégué aux beaux-arts. Le 29 octobre, il avait rédigé une « Lettre à l'armée allemande et aux artistes allemands » dont il montra une copie à Hector.

« Laissez vos canons Krupp, nous les fondrons avec les nôtres, ensemble ; le dernier canon, gueule en l'air, coiffé du bonnet phrygien, planté sur un piédestal acculé à trois boulets, et ce monument colossal, que nous érigerons ensemble sur la place Vendôme, sera votre colonne des Peuples, la colonnade de l'Allemagne et de la France à jamais fédérées. »

Hector, stupéfait par cette initiative inattendue, fut d'abord saisi d'enthousiasme. Puis il se souvint que les délégués ouvriers de l'Internationale avaient exhorté les travailleurs allemands et français à s'interposer contre la guerre. En vain. Il ne le rappela pas à Courbet. Pourquoi apporter une note déprimante ? Bien qu'il fût difficile d'entamer les certitudes, l'exaltation de son ami, Hector parla de la proposition de Varlin.

– Eh bien, nous serons associés, dit Courbet. Après vingt ans de vie révolutionnaire, nous allons enfin appliquer nos idées. Nous avons marché l'un et l'autre dans la voie parallèle de notre camarade Proudhon. Nous avons toujours cru à la paix et à la fraternité universelles. La Commune concrétisera tout ça.

L'année 1871 commença par la capitulation du nouveau gouvernement de la République. Les drapeaux allemands flottaient sur les forts de Paris. L'Alsace et la Lorraine étaient livrées aux Prussiens. Aussitôt le peuple de Paris drapa de voiles noirs la statue de la ville de Strasbourg, place de la Concorde. Dans la nuit du 5 au 6 mars les murs de la capitale se couvrirent d'affiches rouges qui proclamaient : « Place au peuple. Place à la Commune. » Des gardes nationaux, qui n'avaient pas encore revêtu leurs uniformes, s'en allaient en bataillons plus ou moins désordonnés, escortés par leurs femmes et leurs enfants, vers les remparts qu'ils entendaient bien tenir. La Commune, ce fut d'abord cela : des ouvriers, des artisans, des bourgeois, refusant l'armistice signé par le chef de l'État, s'opposant à l'entrée des troupes allemandes dans la capitale, s'improvisant soldats, face au gouvernement soi-disant légal qui, abandonnant Paris, s'installait peureusement à Versailles.

Toute cette foule qui avait reflué de la banlieue, chassée de ses masures, ces ouvriers sans travail, ces paysans sans terre, s'acharneront à défendre une capitale qui n'était pas la leur, la capitale façonnée par Haussmann et l'Empire, la capitale des riches et que les riches avaient désertée. De ce Paris réinvesti, ils voulaient faire leur Commune.

Hector rencontrait souvent Varlin qui, nommé au conseil chargé d'administrer Paris, se livrait à une activité intense. Il raconta à Hector comment, le 18 mars, Auguste Thiers, devenu le chef du gouvernement versaillais, avait envoyé des troupes pour récupérer les deux cent cinquante canons abandonnés dans Paris et comment la foule, arrêtant les chevaux, coupa les harnais ; comment, sur la butte Montmartre, les femmes se couchèrent sur les canons ; comment le général Lecomte ordonna à ses soldats de tirer ; comment un sous-officier, sorti du rang, cria « Crosse en l'air » ; comment les lignards fraternisèrent avec le peuple et fusillèrent leur propre général.

– Maintenant c'est la guerre entre Versailles et Paris, dit Varlin. Nous avons dressé une centaine de barricades. Le tout est de tenir pendant un mois, le temps que la province s'insurge à son tour. À la Commune de Paris vont répondre les Communes de Lyon, de Bordeaux, de Marseille, de Nantes. La France va devenir une fédération de communes. Ah ! si Proudhon nous voyait !

Alors commença le siège. Paris bouclé à la fois par Bismarck et par Thiers, plus aucune provision ne franchit les portes des anciens octrois. Après les moutons du Luxembourg, les chevaux des squares, débités par les bouchers, on mangea les ours et les éléphants du zoo, les chiens, les chats, les rats. Courbet assurait que les rats fournissaient la viande la plus délicate et que leur goût rappelait celui du perdreau. Courbet, qui se drapait dans son écharpe rouge de délégué à la Commune, étalait une joie exubérante.

– Regarde, disait-il à Hector, comment en si peu de temps nous avons aboli les horreurs du passé. La guillotine a été brûlée devant la mairie du 11e arrondissement. Les curés sont foutus puisqu'on leur a supprimé le budget des cultes. Le Crédit municipal va rendre aux malheureux leurs objets gagés. Plus de mariage ! L'union libre est reconnue. Donc plus de bâtards. Et l'on a rétabli le calendrier républicain. Louis-Philippe, Napoléon III, tout ça n'existe plus. Nous commençons l'an 79 !

L'année 79 commença donc dans l'enthousiasme. Le Comité central de la Commune déclara que le premier coup de feu contre l'armée régulière ne serait pas tiré par le peuple et qu'on ne se défendrait qu'en cas d'agression. En conséquence, un bataillon de trois cents femmes, drapeau rouge en tête, remontant les Champs-Élysées, proposa une échappée du côté de Versailles. Devant des Parisiens désarmés, offrant la paix universelle, les soldats de Thiers ne pourraient que mettre crosse en l'air, comme dans l'affaire des canons de Montmartre. Des hommes, des enfants, les rejoignirent et s'avancèrent vers le pont de Neuilly. On chantait. On agitait les drapeaux. On appelait les lignards à la fête. Dès le pont de Neuilly traversé, une grêle de balles faucha les premiers rangs. Puis la cavalerie déboucha au galop, sabrant la procession. Pas un communard ne revint de cette première sortie, la troupe de Monsieur Thiers s'étant amusée à poursuivre les fuyards comme le gibier d'une chasse à courre.

Puisque les soldats de l'armée régulière ne voulaient pas fraterniser, on barricada le pont de Neuilly. Tous les forts récupérés sur les Prussiens furent armés, à l'exception de ceux d'Issy et de Vanves, trop endommagés. Le bombardement de Paris par l'artillerie versaillaise commença. Mille cinq cents obus allaient tomber par jour, jusqu'à la fin du siège.

Hector ne reconnaissait plus Paris. La ville était devenue grise. Les terrasses des cafés restaient désertes. La ville de la fête, des loisirs, de l'esbroufe, des extravagances, la ville insolemment bourgeoise, s'était prolétarisée. Sur les boulevards silencieux, Hector ne voyait plus que des groupes d'hommes aux uniformes disparates, ou en civil, qui partaient au feu ou en revenaient. Des femmes portaient aux tranchées le linge lavé, la soupe chaude. Certaines, le fusil sur l'épaule, suivaient les soldats. Des cantinières, coiffées d'un chapeau de feutre noir, à plumes rouges, un baril d'eau-de-vie à la ceinture, poussaient des voitures à bras chargées de victuailles. Des enfants de huit à quinze ans escortaient les canons traînés par des chevaux poussifs, de plus en plus étiques. Des chevaux de plus en plus rares depuis qu'ils servaient de viande de boucherie.

Toute cette population banlieusarde, qui réinvestissait Paris, qui y campait dans les immeubles désertés, qui s'installait sous des abris de fortune dans les cours, ne voulait plus être chassée d'une ville qu'elle n'habitait encore que par effraction, qu'à la sauvette, mais qu'elle croyait invulnérable.

Hector s'enferma rue du Sentier. Son logement fut de nouveau encombré de rouleaux de papier sur lesquels il se mit à dessiner cette ville pour le peuple que Varlin lui commandait. Ville du travail, de l'éducation et du loisir, cette cité n'aurait donc pas d'enceintes. Pourquoi la boucler dans des murs, la hérisser de forts, puisque la paix et l'harmonie régneraient alors sur la terre ?

Dans sa ville, l'égalité la plus absolue s'exprimait par le dessin des immeubles, tous identiques, de même hauteur, sans aucun ornement. Les écoles, plus vastes que les locaux d'habitation, entourées de larges cours, occupaient une très grande place. Pas de palais, mais des bâtiments pour les services publics qui, par leur aspect accueillant, rompaient avec l'austérité des autres édifices.

Lorsqu'il estima ses esquisses suffisamment poussées, il voulut les montrer à Courbet. Les abords de la rue Hautefeuille, éventrés par des obus versaillais, étaient méconnaissables. La guerre s'insinuait donc au cœur de Paris, tout près de ce boulevard Saint-Michel, orgueil du préfet Haussmann. Haussmann qui, bien sûr, comme tous les dignitaires du régime impérial, s'était éclipsé.

Son atelier abandonné, Hector retrouva Courbet tout près de chez lui, passage du Saumon, à deux pas de la rue Montmartre, installé chez une dame qu'il appelait décemment sa logeuse.

De là, il dirigeait plutôt bien, ma foi, les missions que lui confiait la Commune. Sur l'Arc de triomphe, il avait fait matelasser *La Marseillaise* de Rude, afin que les obus ne détériorent pas les reliefs sculptés.

Tous les tableaux les plus précieux du Louvre mis en caisses, son anticléricalisme ne l'empêcha pas de veiller à ce que les œuvres d'art des églises soient également protégées d'éventuels vandales.

– Je préserve les travaux des artistes, mais je ne garantis pas les curés, dit-il à Hector. Sais-tu que l'archevêque Darboy, l'ami très cher de Badinguet, a été arrêté comme otage ?

– Comment ! La Commune prend des otages !

– Les versaillais assassinent les prisonniers. Nous menaçons de fusiller trois otages pour un de nos soldats massacré. Mais nous ne le faisons pas. Aucun de nos otages n'a subi de brutalités. On a même proposé à Thiers d'échanger Darboy contre Blanqui. Thiers a refusé. Il aimerait bien que l'on fusille l'archevêque, le martyre éventuel des prêtres par la Commune l'arrangerait. Ce serait une excellente propagande contre nous. Tu connais Rigault ?

– Non.

– Voyons, Raoul Rigault, ce gamin, ce gavroche que la Commune a choisi pour diriger la police. Interrogeant Darboy, il lui a demandé, selon la coutume, quelle était sa profession. « Serviteur de Dieu », a répondu l'archevêque. Et Rigault de reprendre : « Où demeure votre maître ? – Partout. – Mettez, dit Rigault à son secrétaire : "Le citoyen se prétend serviteur de Dieu, lequel, de l'aveu de l'accusé, est en état de vagabondage permanent." »

Courbet riait, riait, secouait son gros ventre. Hector, lui, demeurait perplexe.

– N'empêche, dit-il, que ce Rigault qui joue au procureur, ça ne me plaît pas.

– La Révolution est d'autant plus équitable, trancha Courbet, reprenant son sérieux, qu'elle part du peuple. Ses apôtres sont ouvriers, son Christ a été Proudhon.

– Te voilà bien religieux ! On enferme un curé et tu mets la tête de Proudhon sur le crucifix. Non ! Souviens-toi de ton *Retour de la conférence*. Proudhon préférait que tu fasses danser les soutanes.

Devenus voisins, Hector et Courbet se rencontraient tous les jours. Sa logeuse préparait leurs maigres repas. Ils discutaient devant les plans qu'Hector déroulait dans son atelier. L'excitation de l'architecte était extrême, au fur et à mesure que sa ville lui paraissait devenir réelle. Une ville conçue, en réalité, comme une seule architecture, comme un corps avec ses organes, son cœur, ses poumons, son ventre. Il lui semblait l'entendre respirer, sa ville. Il lui semblait entendre parler les habitants qui circulaient dans les grands immeubles, en réalité véritables quartiers, avec leur habitat au sommet, s'ouvrant sur des toits aménagés en jardins, et tous ces équipements collectifs, du magasin général à l'école, aux espaces d'éducation et de loisirs. Depuis qu'il avait rencontré son public, rue de la Corderie, il savait que ses projets ne seraient pas conçus en vain, que finalement le peuple, qui prenait en main son destin avec la Commune, l'attendait, comme lui, pendant si longtemps, l'avait attendu.

Le canon tonnait sans cesse aux portes de Paris. Des obus écrasaient au hasard les vieilles maisons, comme les beaux immeubles de l'Empire, et les deux amis rêvaient d'un avenir radieux. Courbet envoyait chaque jour des « Adresses aux artistes de Paris » préconisant la suppression de l'École des beaux-arts et du prix de Rome, demandant que l'autorité de la Ville de Paris sur la province soit supprimée (ne l'était-elle pas en fait, depuis le siège ?), que l'on abolisse les croix d'honneur et les médailles, que les élèves de l'université choisissent librement leurs professeurs...

Et il avait une obsession, qui finissait par bassiner Hector : que la colonne Vendôme soit « déboulonnée » et réinstallée dans la cour des Invalides.

– Comme ça, disait-il, les vieux soldats de l'Empire pourront voir où ils ont gagné leur jambe de bois !

17.

INDIFFÉRENTE aux tractations, aux manœuvres, aux conspirations qui se tramaient autour de Paris, la Commune s'installait dans son autarcie. Depuis le 18 mars, elle avait édifié des centaines de barricades, les plus spectaculaires place de la Concorde et boulevard de Belleville.

Ses soixante représentants, la plupart très jeunes, enthousiastes, inconscients de ce que les habitués du pouvoir fomentaient hors des murs, avaient chassé les politiciens professionnels. La faiblesse des effectifs de l'armée versaillaise faisait illusion à l'Hôtel de Ville qui ignorait que Thiers négociait avec Bismarck pour que soixante mille des prisonniers de Sedan soient libérés et déployés contre Paris. Thiers, que les communards appelaient le Père Transnonain, ce nabot que Julie avait rabroué lorsqu'il tentait de se glisser sous ses jupes, reconstituait avec la permission de Bismarck une armée encerclant lentement la Commune.

Hector qui, dans ses plans, envisageait la suppression des fortifications, se voyait contraint, désormais, de les consolider. Varlin, installé dans l'ancienne salle de l'Internationale, rue de la Corderie, l'exhortait à travailler en priorité aux mesures urgentes, quitte à surseoir à sa ville idéale future.

Dans l'atelier de la rue du Sentier, devenu trop exigu pour accueillir les aides qu'on lui fournissait, on aménagea tant bien que mal des tables sur des tréteaux. La majorité des collaborateurs d'Hector, anciens élèves de l'École des beaux-arts, la plupart blessés dans les attaques versaillaises, ne pouvaient plus porter les armes. Un borgne, un manchot et des éclopés divers. Sans parler de quelques individus en excellente santé, camouflés en invalides et qui servaient de mouchards aux ultras de la Commune.

Hector s'aperçut en effet que Varlin n'avait pas que des amis et que, lié à celui-ci, il bénéficiait tout naturellement de ses ennemis. Varlin ne cessait de s'élever contre l'intransigeance de la majorité jacobine et blanquiste de la Commune. Lors de l'interdiction de certains journaux, il protesta tout naturellement au nom de la liberté de la presse qui devait être absolue, comme il protesta contre une tendance à la dictature du Comité de salut public qui rêvait de revêtir les habits de Robespierre.

Hector s'inquiéta d'abord du risque de pénurie d'eau potable. Avec les cadavres qui flottaient sur la

Seine, la menace d'épidémies l'effrayait. Pensant au choléra, aux dernières images affreuses de Julie, il établit des plans pour recueillir l'eau de pluie.

– Que n'a-t-on accepté mon idée de toits-terrasses jardinés ! disait-il à ses aides. L'eau qui s'écoule sur les couvertures en pente est perdue. Recueillir la pluie pour la consommation et vidanger rapidement les liquides usés, voilà les fondements de l'hygiène. Ce que la nature nous offre ne doit pas être perdu.

Il mit en chantier des réservoirs, des bassins, des citernes. Mais la main-d'œuvre manquait. Tous, pourtant, ne se portaient pas à la défense des remparts et des forts. L'exaltation des premiers jours de la Commune était vite retombée. Hostile aux communards, une grande partie de la population parisienne restait désormais calfeutrée chez elle, attendant sa délivrance par les versaillais. Hector constata que l'on traînassait à évacuer les décombres pour les transformer en parapets contre une éventuelle percée versaillaise. Les fortifications de Montmartre, qu'il avait entreprises, n'avançaient pas. L'un des pseudo-élèves, dont il dut bien se convaincre qu'il n'était là que pour le surveiller, l'informa dédaigneusement que l'entrepreneur, retardant à dessein les travaux, venait d'être arrêté comme saboteur.

– La Sûreté est tellement assaillie de dénonciateurs, lui dit Courbet, auquel il était allé confier ses soucis, qu'elle ne sait plus qui trahit et qui cherche à se débarrasser d'un témoin gênant. Les délégués de la Commune, tous admirables, sont d'anciens ouvriers, des publicistes, des théoriciens, qui ne connaissent pas les mécanismes politiques et administratifs dont la bourgeoisie a les clefs. La besogne des espions est facilitée par les indiscrétions des employés de la Commune. Pas un chef de service, dans un café, n'hésite à exprimer son importance en dévoilant des secrets. L'incurie des délégations suscite des conspirations de droite et de gauche. On se dispute, on s'injurie, on se dénonce. Dans les dénonciations, il y a parfois de vraies trahisons. On a surpris un officier de la Commune qui relevait les plans des barricades. D'autres ont offert à Versailles de livrer les portes de la ville. Le drame est que l'on ne peut se passer des militaires professionnels qui ont bien voulu nous rejoindre et que, dans chacun d'eux, sommeille un Bonaparte. Rossel, petit officier de l'armée impériale, en se ralliant à la Commune est vite devenu général et délégué à la Guerre. C'est un condottiere. Il ne rêve que de batailles rangées, lance des défis héroïques et inutiles. On a dû évacuer le fort d'Issy, écrasé sous les obus et la mitraille. Et Rossel ne parle qu'indiscipline. Tiens, veux-tu que je te dise, pour clouer le bec à ces traîneurs de sabre, il faut déboulonner la colonne Vendôme !

Déboulonner la colonne Vendôme ! Courbet ne parlait plus que de ça. Comme toujours, il enflait son idée, s'en gargarisait, la proclamait à qui voulait l'entendre. En réalité, cette proposition n'était pas de lui, mais du blanquiste Félix Pyat. Déjà, Louis XVIII n'avait-il pas descendu de la colonne la statue de Napoléon que Louis-Philippe s'empressa de remonter ? En 1848, Auguste Comte ne proposa-t-il pas que l'on remplace Napoléon par Charlemagne ? « La colonne, fondue avec les canons pris à Austerlitz, sera retransformée en canons », proclama la Commune.

Aussitôt Courbet s'interposa, demandant que l'on enlève les plaques de bronze entourant le fût pour les conserver comme œuvres d'art. Le 15 mai, la Commune ordonna la destruction de la maison de Thiers. Une fois encore, Courbet s'interposa pour que l'on y préserve les collections relevant de ses attributions de délégué aux beaux-arts. Tout Courbet était là. Il jouait au matamore, à l'iconoclaste, et se souciait de sauvegarder la moindre trace d'un travail d'artiste.

Le 16 mai (26 floréal de l'an 79), Hector accompagna Courbet pour assister au « déboulonnage » de la colonne. Varlin les avait invités sur le balcon du ministère de la Justice.

En réalité, sciée horizontalement, un peu au-dessus du piédestal, et entaillée en biseau pour faciliter la chute en arrière, la colonne, tirée par un câble enroulé autour d'un cabestan, se brisa en trois morceaux et tomba sur un lit de fagots, de sable et de fumier, dans l'axe de la rue de la Paix. La tête de Bonaparte, détachée du tronc, roula dans le purin.

La foule, massée sur la place Vendôme, cria son enthousiasme. L'orchestre joua *La Marseillaise*. Un gamin, qui ressemblait à Gavroche, planta un drapeau rouge sur le socle vide.

Qui, sur le balcon du ministère de la Justice, s'écria : « Jean-Foutre Badinguet Ier s'est cassé le nez » ? Pas Courbet, pas Hector. Tous les deux regardaient la scène sans un mot, sans gaieté.

La Commune tenait contre Versailles depuis seulement quatre mois et demi, mais ces dix-huit semaines paraissaient interminables. Contrairement à ce que prédisait Varlin, les villes de province ne s'étaient pas insurgées. Paris résistait seul contre la France entière et contre l'armée allemande qui maintenait l'encerclement. Finalement, les Parisiens s'habituaient au siège, à la Commune, à la disette, aux coups sourds et incessants des canons, aux obus qui éventraient ici et là des maisons. Mieux, les assauts des versaillais devenaient un spectacle. En bas de l'avenue des Champs-Élysées, le dimanche soir, des curieux admiraient la canonnade du côté de l'ouest, comme s'il s'agissait d'un feu d'artifice. Sur les hauteurs de Montmartre, on apportait des chaises, des pliants et l'on regardait Neuilly exploser. Des malins trimbalaient des bancs et faisaient payer deux sous la place assise. Sur la place de la Bastille, la Foire aux pains d'épices s'était réinstallée, avec ses balançoires et ses tourniquets.

Par contre, une grande lassitude s'abattait sur les dirigeants de la Commune. Les compétitions stériles, les disputes, commençaient à user les énergies. Au Cirque Napoléon cinq mille personnes s'étaient néanmoins déplacées pour écouter des orateurs qui s'efforçaient de remonter le moral, non seulement de la population, mais surtout d'eux-mêmes.

Hector s'impatientait de ne pouvoir réaliser rapidement les travaux d'urbanisme qu'il croyait avoir décidés. Il lui semblait urgent, par exemple, de transformer tous les squares et les jardins publics en exploitations agricoles. Depuis longtemps, les animaux entrés dans Paris avec les banlieusards, et qui avaient brouté les massifs et les pelouses, avaient été débités en viande de boucherie. Il fallait donc semer, planter, recourir à tous les moyens pour éviter la famine. Mais il n'arrivait pas à se débrouiller avec tous ces bureaux, ces comités, ces sous-comités, ces administrations rivales.

– La lutte contre ces cloportes est trop énervante, lui disait Courbet. Moi je m'en passe. J'agis à ma guise, comme toujours. Que de dévouement, que d'héroïsme, de nos petits gars, qui vont s'éteindre dans le vide. La Commune, c'est la chaudière d'une machine dont toute la vapeur fuit par cent issues. Toi et moi, nous devons colmater les trous.

Surchargé de travail et de responsabilités par l'urgence de tâches qui relevaient plus de l'ingénieur militaire que de l'architecte, Hector n'en continuait pas moins à dessiner dans un grand enthousiasme son projet de ville idéale. En cela, il ne différait pas de Varlin, de Delescluze, de Vallès, de ces hommes d'État improvisés qui rêvaient d'abolir l'État, de ces soldats insurgés qui se battaient avec héroïsme en rêvant de supprimer l'armée.

Depuis qu'il avait quitté le local de l'Internationale, rue de la Corderie, pour s'installer à l'Hôtel de Ville, Varlin s'était éloigné d'Hector, qui s'impatientait. Quand pourrait-il lui montrer ses esquisses de la cité future ?

Non pas que les fonctions de Varlin, parmi les chefs de la Commune, le dérobassent à la vue de ses concitoyens. Bien au contraire, comme tous ses collègues, il n'était que trop abordable, trop bienveillant à toutes les sollicitations. L'Hôtel de Ville, devenu une pétaudière, s'ouvrait à tous, empêtré d'une foule d'agitateurs, de pétitionnaires. On y entrait comme à la foire et le tohu-bohu, dans les bureaux encombrés d'officiers qui hurlaient contre l'incurie des ordres et des contrordres, de délégués aux écharpes rouges qui vociféraient, de plaignants, de dénonciateurs, de veuves réclamant des secours immédiatement accordés, de mutilés se traînant sur des béquilles, de curieux se bousculant aux portes pour apercevoir quelque chose, ce vacarme, ces criailleries, estourbissaient Hector. Dans les couloirs, des gardes nationaux hirsutes, éreintés, se tenaient affalés, leur fusil entre les genoux. Devant le bureau de Delescluze, des fédérés jouaient aux cartes. Il pénétra par erreur dans cette pièce enfumée, aperçut ce vieillard maigre, exténué, doyen de la Commune, vieux à soixante ans, qui se débattait devant la supplique d'officiers généraux lui disant que le front allait craquer, qu'il fallait envoyer d'urgence des renforts. Mais Delescluze passait son temps à dégarnir un mur d'enceinte pour en affermir un autre. Et s'il avouait son impuissance au Comité de salut public, on lui répliquait que les barricades du peuple étaient indestructibles.

Hector trouva enfin Varlin dans un bureau au désordre indescriptible, assailli par une nuée de quémandeurs. Varlin l'aperçut, eut un geste désolé, se dégagea de cette ruée qui l'acculait au fond de la pièce où des dossiers s'empilaient jusqu'au plafond.

Prenant Hector par le bras, il le poussa vers un escalier et s'enferma avec lui dans un réduit.

– Ces pauvres gens ! Je voudrais pouvoir leur répondre, les aider. Mais ils me tuent. Non, ce ne sont pas eux qui m'épuisent. Plutôt les coteries, les antipathies personnelles, au sein de la Commune. Et l'inorganisation. Que faire ? Nous organisons et, derrière nous, on désorganise. On pensait que, dans un souci naturel d'égalité, on devait abolir les grades dans notre armée. Mais sans grades il n'y a plus de discipline. Nous avons dû nommer des officiers et même des généraux. Seulement les volontaires, et c'est bien normal (après tout, ils sont volontaires !), ne les écoutent pas. Chacun s'arrange à sa manière. La défense va le plus souvent à l'aventure et nos pertes sont immenses. Heureusement, Paris est imprenable. Quel malheur de commander une armée, nous qui avons toujours détesté les armes ! Mais que faire ? On nous attaque. On veut notre mort. Comment ne pas se défendre ! Et en nous défendant, nous défendons la République !

– J'aimerais vous montrer les dessins de la ville future que vous m'avez demandés, dit Hector.

– Ah oui ! Bien sûr. Seulement, comment pourrais-je les regarder ? Vous voyez comment je suis assailli. Je dors dans mon bureau quand on me laisse un moment de paix. C'est le vieux Delescluze qui a pris en charge la guerre. Vous connaissez Delescluze ? Non ! Journaliste, sa participation aux révolutions de 1830 et de 1848 l'a conduit au bagne, à Cayenne. Nous n'avions personne d'autre pour diriger la guerre que l'on nous impose. Lui aussi croyait qu'il tiendrait. Il est épuisé. Les récriminations des officiers l'exaspèrent. Ils n'ont pas de plan d'ensemble.

Pas de roulement dans les affectations. Certains bataillons restent trente jours dans les tranchées, sans être relevés. D'autres, trop longtemps en réserve, s'impatientent. Parfois les artilleurs, découragés, doivent palabrer toute une journée pour obtenir des obus. Pendant ce temps-là, le fort d'Ivry, sous le déluge de feu des tirs versaillais, est en train de craquer.

– Ma ville future..., reprit Hector.

– Oui, oui, dit Varlin, vous me montrerez tout ça après la victoire. Aujourd'hui, aidez-nous à essayer que le vieux Paris ne soit pas écrasé sous les bombes. Dégagez les ruines, consolidez les barricades, veillez à l'hygiène, abritez les sans-abri. Allez, mon ami, allez...

Le 19 mai, la Commune mit aux débats le problème des théâtres. On se disputa au sujet des paysans du Berry. Devaient-ils continuer à payer pour entretenir les danseuses de l'Opéra ?

Depuis deux jours, les batteries versaillaises broyaient l'enceinte du Point-du-Jour et saccageaient Passy. D'Asnières à Neuilly, seulement deux mille fédérés résistaient aux assauts des fantassins du maréchal Mac-Mahon. Porte Maillot, dix hommes nus jusqu'à la ceinture, torses et bras noirs de poudre, servaient douze canons. Il ne restait plus de sentinelles aux points faibles. Beaucoup d'officiers avaient disparu.

Le 20 mai, s'ouvrit à l'Hôtel de Ville une grande exposition des projets d'Hector pour la ville populaire future. Varlin, n'ayant pas le temps de se déplacer pour regarder ces planches rue du Sentier, s'était un peu débarrassé de l'architecte en lui proposant une rétrospective. Car, en effet, non seulement ses derniers dessins occupaient les grands salons de l'Hôtel de Ville, mais aussi toute son œuvre sur papier, depuis le Crystal Palace de Londres, jusqu'au familistère, à l'athénée industriel, aux parapluies des Halles, etc.

Courbet était là, enthousiaste, entraînant les visiteurs, très nombreux malgré la situation dramatique aux portes de l'Ouest, leur expliquant des détails, clamant très fort le génie de son ami.

Du génie d'Hector, personne ne doutait. Mais la majorité des invités se montraient étonnés et déçus devant ces dessins trop secs, cette absence de jolies couleurs, ce manque de pittoresque.

Varlin, accompagné d'une délégation des dirigeants de la Commune, s'impatientait de la lenteur des discours. L'habitude était tellement grande de voir des clochers dans les dessins de ville que plusieurs membres de la Commune, pourtant connus pour leur anticléricalisme virulent, s'étonnèrent de leur absence.

– Voyons, dit Hector, les villes futures n'auront

pas besoin d'églises. Ma cité n'a ni églises ni prisons. En supprimant le gendarme, on supprime le voleur. Donc pas de casernes et, à la place des églises, des écoles. Une école ouverte, c'est une prison que l'on ferme.

Varlin l'embrassa.

– Nous construirons votre ville, citoyen Hector.

Un officier, gris de poussière, le bras sanguinolent en écharpe, entra en courant dans l'exposition, se dirigea vers Varlin :

– La porte de Saint-Cloud est détruite. Les versaillais pénètrent à Passy, à Auteuil. Ils ont déjà effectué une percée en direction de Montparnasse où seulement vingt hommes défendent la gare.

– Notre cause est immortelle, dit paisiblement Varlin. Si les remparts cèdent, les batailles de rues nous seront favorables. Assez de militantisme. Place au peuple, aux combattants aux bras nus ! L'heure de la guerre révolutionnaire a sonné !

En toute hâte, les rues furent dépavées. Avec des tonneaux, des bancs, des charrettes, des matelas, des sacs de terre, deux cents nouvelles barricades se dressèrent contre l'offensive versaillaise. Mais porte de Saint-Cloud, après avoir traversé les lignes allemandes qui leur offraient le passage, des milliers de lignards entourèrent Montmartre. À midi, ils occupèrent le Moulin de la Galette, ramassant au hasard quarante-deux hommes, trois femmes, quatre enfants, les contraignirent à s'agenouiller devant le mur où le général Lecomte avait été fusillé le 18 mars et les massacrèrent.

Hector se trouvait à l'Hôtel de Ville, près de Varlin, lorsque parvint cette nouvelle catastrophique de la percée versaillaise et de l'immolation des premiers martyrs de la Commune. Place Blanche, une seule barricade, tenue par une centaine de femmes en armes, empêchait pour l'instant les troupes de Mac-Mahon de pénétrer au cœur de la capitale.

En face du boulevard de Sébastopol, place Saint-Jacques, une barricade protégeait l'Hôtel de Ville. Dans les salons consacrés à l'exposition des travaux d'Hector, des brancardiers apportaient précipitamment un flot ininterrompu de blessés. Dans tous les couloirs, des gardes nationaux expiraient, enveloppés de couvertures. Sur un lit de satin bleu, dans les anciens appartements du maire de Paris, l'un des généraux de la Commune, Dombrovski, blessé à mort, agonisait. Le vieux Delescluze, toujours délégué à la Guerre, de plus en plus amaigri, blême, continuait à signer des ordres.

Courbet arriva, essoufflé. Malgré son obésité, il avait galopé depuis l'École des beaux-arts, le feu aux trousses. Effrayé, haletant, il raconta à Varlin, incrédule, qu'un mur de flammes courait le long de la Seine, que les Tuilerıes, le palais de la Légion d'honneur, le Conseil d'Etat, la Cour des comptes, brûlaient, qu'une pluie d'étincelles tombait sur les quartiers de la rive gauche.

Les soldats fédérés affluaient en masse autour de l'Hôtel de Ville, échappant aux tenailles des versaillais parvenus jusqu'à la place de l'Opéra. Une estafette se précipita vers Delescluze, lui hurla que des fusiliers marins, montés sur le toit de l'Opéra, mitraillaient les barricades des Boulevards, qui cédaient l'une après l'autre.

Varlin s'appuya sur l'épaule de Courbet, comme si son cœur cédait. Très pâle, son beau visage, au fin collier de barbe, se crispait. Ses cheveux avaient brusquement blanchi, ces derniers jours. Il venait de comprendre que le système romantique des barricades, cette défense qu'il croyait invulnérable, ne tenait plus depuis l'urbanisme d'Haussmann. Toutes ces rues droites, tous ces larges boulevards, permettaient aux canons de tirer de front, de pulvériser les plus solides barrages, et aux charges de cavalerie de ne plus être freinées par des voies en coude, par des ruelles. La guerre des rues, qu'il entendait mener, devenait obsolète.

Le mercredi 24, Delescluze, Varlin et tous les membres dirigeants de la Commune ordonnèrent d'évacuer l'Hôtel de Ville et de se replier sur la mairie du 11e arrondissement.

À l'idée d'abandonner tous ses dessins originaux, toute son œuvre sur papier, Hector eut l'impression qu'on le poignardait. Il voulut rester. Qu'avait-il à craindre ? Son rôle n'avait-il pas été tout à fait pacifique ? Il attendrait l'arrivée des versaillais au milieu de sa création, ce cadeau qu'il offrait à l'humanité de demain.

– Vous êtes fou, lui dit Varlin. Ces brutes n'ont pas de pitié. Vous ne redouterez jamais assez leur fureur, alors que votre production reste en sécurité dans cette maison du peuple, que tous les régimes ont respectée.

À la mairie du 11e, ils apprirent que les cinquante-deux otages de la Commune, dont Mgr Darboy, avaient été fusillés par leurs geôliers.

– Qui a ordonné cela ? s'écria Varlin. La Commune se déshonore ! La Commune est perdue !

On décida de se séparer afin d'échapper plus facilement à la ruée des versaillais qui entouraient le cimetière du Père-Lachaise. Delescluze se précipita sur une barricade, s'offrit aux balles et fut tué aussitôt. Varlin partit au hasard des rues, après avoir brossé sa redingote salie de poussière, tachée de sang. Courbet voulait protéger le Louvre de l'incendie. Comment ? Il ne savait pas, mais il estimait qu'il devait être là où la peinture, même celle qu'il n'aimait pas, se trouvait en danger.

Hector s'en alla du côté de Belleville. Une barricade tenait devant les assauts, rue Ramponeau. Il se glissa derrière, n'y trouva qu'un fédéré qui la défendait seul, depuis le matin.

– Je n'ai plus de munitions, lança-t-il à Hector. On se taille !

Il s'échappa, laissant Hector décontenancé aux mains de soldats qui le rudoyèrent. Comme il n'était pas armé et n'avait pas de poudre sur les mains, il ne fut pas abattu sur-le-champ. Le fédéré qui s'était enfui avait tiré, sans qu'il le sût, les dernières cartouches de la Commune.

18.

EN août 1873, Hector, en compagnie de deux cents déportés, arriva en Nouvelle-Calédonie.

Atteint, depuis son arrestation, par une sorte d'hébétude, il conservait l'impression très forte d'avoir été écrasé avec la Commune. Sa vie, son avenir, s'étaient écroulés avec elle. Alors que ses camarades, sortis comme lui des grandes cages de fer dans lesquelles ils avaient été enfermés pendant la traversée, se bousculaient pour mieux voir cette terre étrange sur laquelle ils étaient condamnés à vivre, Hector restait en retrait, indifférent. Il savait qu'il était mort avec la Commune et que ce sursis qui lui était donné avant de disparaître n'avait ni sens ni attrait.

Combien de fois, pendant ces deux années où il fut traîné, enchaîné, d'une prison à l'autre, où il dépérit lentement sur les pontons de Cherbourg, parmi les blessés laissés sans soins qui agonisaient, où, ramené à Versailles pour être jugé, il entendit vaguement la sentence du procureur qui le vouait au bannissement, combien de fois il envia le sort de Dombrovski, de Delescluze, tués par les balles des versaillais. Il avait appris que Varlin, lynché par la foule, avait été fusillé rue des Rosiers. Lynché par la foule... Il ne comprenait pas. Il ne comprenait plus rien. Il ne cherchait pas à comprendre l'incompréhensible.

Des images ne cessaient de l'obséder, toujours les mêmes : Julie défigurée par le choléra ; les cavaliers à manteaux blancs qui escortaient les communards en route pour le bagne ; ceux que le général-marquis de Galliffet fit sortir du rang devant l'arc de triomphe de l'Étoile et fusiller par grappes de dix ; les railleries des badauds de Versailles à leur arrivée pour le camp de Satory et les coups d'ombrelle des élégantes sur celles qu'elles appelaient les pétroleuses...

Des images et des sons. Le choc des crosses de fusil sur les barreaux des cages auxquels répondaient, comme un bruit lancinant de tam-tam, le martèlement des roues des wagons de chemin de fer sur la découpe des rails. Les chemins de fer qu'il avait tant aimés, dont il avait la certitude qu'ils préfiguraient l'âge d'or, l'âge d'acier plutôt, l'âge du progrès indéfini, de l'égalité et de la liberté pour tous, ces chemins de fer, maintenant, il les haïssait. Ils l'avaient trahi, comme ils avaient trahi les insurgés de juin 48. Conçus comme des instruments de libération, ils avaient été récupérés par les maîtres du monde qui s'en servaient pour enrégimenter, asservir, humilier. Qui s'en servaient de prisons ambulantes.

Toujours lui revenait cette vision de l'entassement des survivants de la Commune dans des wagons à bestiaux, sans vivres, sans boisson. Et dans ce train qui roulait lentement, vers on ne savait quel gouffre, les prisonniers se battaient dans l'obscurité pour un peu de place, un peu d'air près des portes verrouillées où apparaissait un rai de lumière. L'odeur des vomissements, de l'urine, des excréments était abominable. L'odeur du choléra. Il lui semblait que Julie l'avait accompagné dans ces trains fous, apportant le choléra morbus aux vaincus de la Commune. La nuit, le grincement des roues des convois le réveillait en sursaut. Si bien que ces trains de la mort lui paraissaient anticiper sur un avenir monstrueux où ils sillonneraient l'Europe, emportant dans leurs wagons plombés les victimes d'un holocauste inimaginable. Les massacres de la Commune n'étaient-ils qu'une préfiguration d'un châtiment beaucoup plus vaste, plus universel ? Tout ce dont il avait rêvé n'existait plus, n'existerait jamais...

En Nouvelle-Calédonie, les événements de France se chuchotaient, de case en case. Il sut que Vallès avait réussi à fuir en Angleterre, que Courbet venait d'être condamné à payer les frais de reconstruction de la colonne Vendôme. Il s'était tant vanté d'avoir « déboulonné » la colonne que les nouveaux maîtres le prenaient au mot. Lui qui avait protégé les collections de la maison de Thiers, cet avorton le condamnait à la ruine et à l'exil.

Courbet, son cher Courbet, il ne l'apercevait plus que dans un brouillard. Il entendit ses compagnons de déportation dire que Courbet n'était pas châtié pour la démolition de la colonne. Ce n'était qu'un prétexte. On ne lui pardonnait pas, en réalité, son appel à la fraternisation avec les artistes et les soldats allemands. *Laissez vos canons Krupp, nous les fondrons avec les nôtres... Le dernier canon, gueule en l'air, coiffé du bonnet phrygien... Notre colonne des Peuples, la colonnade de l'Allemagne et de la France à jamais fédérées...* Il se rappelait ces lambeaux de phrases du manifeste de Courbet qui l'avait tant enthousiasmé. Cette colonne de la Paix que Courbet proposait d'élever à la place du monument à la gloire de Bonaparte, voilà l'infamie qu'on lui faisait payer.

Toujours lui revenait ce moment où sa vie bascula dans l'horreur, ce moment où les lignards vainqueurs de la Commune l'attachèrent par une corde au poignet d'un vieil homme chauve qui reçut ce voisinage avec hargne. Tous les prisonniers étaient liés les uns aux autres par rangées de huit. Pas de troupiers fédérés puisque tout combattant avait été immédiatement fusillé, mais des artisans en vareuse, des ouvriers en blouse, des bourgeois chapeautés, des femmes qui relevaient un de leurs jupons pour se protéger de la pluie.

En chemin, la cohorte des vaincus s'épaississait par de nouvelles prises. Comme ils passaient près de la porte Saint-Martin ils aperçurent une immense lueur rouge, du côté de la Seine.

– C'est le château d'Haussmann qui flambe, dit-on à mi-voix dans les rangs.

Le « château d'Haussmann » ? Voulaient-ils parler de l'Hôtel de Ville ? Il interrogea ses voisins de chaînes. Le vieux grogna sans aménité. L'autre, plus jeune, souffla qu'il valait mieux ne pas parler.

Le château d'Haussmann qui flambe ! Hector s'efforça de croire qu'il ne s'agissait pas de l'Hôtel de Ville ; que son architecture de papier, toute son œuvre, toute sa vie, n'avait pas été livrée aux flammes. Pourquoi survivre, pourquoi suivre docilement ce troupeau que l'on conduisait à l'abattoir ? Il avait tiré violemment sur ses liens, tenté de s'enfuir pour être abattu d'un coup de fusil. Mais ses compagnons, effrayés par son geste, qui les mettait eux-mêmes en péril, l'avaient frappé de leur poing valide. Hector, résigné, s'était fait traîner par ses codétenus, désespéré, ne comprenant rien, ne comprenant pas pourquoi la Commune, qui ne voulait que le bien de tous, avait été vaincue, pourquoi on l'emmenait comme un criminel, pourquoi sa vie s'effondrait, pourquoi Paris brûlait. Qui l'avait ordonné ? Pas Varlin, pas Delescluze... Et les otages, qui les avait condamnés à mort ? Devrait-il payer pour tous ? Devrait-il toujours être incompris, refoulé, trahi ?

Maintenant, en Nouvelle-Calédonie, Hector avait la sensation d'avoir été jeté dans le brasier de l'Hôtel de Ville, d'en être ressorti calciné et que ne subsistait plus de l'Hector d'autrefois qu'une ombre que l'on traînait misérablement outre-tombe.

La promiscuité avec les vétérans dont il devait partager la case, le travail agricole dans les plantations de canne à sucre, tout cela Hector le subit avec indifférence. Les colons qui les employaient étaient des Alsaciens qui avaient préféré s'expatrier plutôt que d'accepter le rattachement de leur province à l'Allemagne. Alsaciens patriotes et communards étaient donc tous des réfractaires opposés à l'abdication du gouvernement de Versailles. Pourtant, dans cette île située aux antipodes de la France, aucune compréhension, aucune solidarité ne jouait entre les deux parties. Pour les colons, les déportés constituaient une main-d'œuvre presque gratuite et corvéable à merci, race inférieure, criminelle, lie de la terre.

Pas de surprise pour Hector qui se savait lie de la terre. La surprise vint de ce qu'il s'aperçut qu'il existait des êtres encore plus misérables que les déportés, encore plus démunis, encore plus méprisés. L'indignation redonna un sens à son existence.

Un jour qu'il travaillait dans un champ de cotonniers, il vit ses compagnons s'arrêter soudain d'arracher les flocons blancs, se redresser et regarder en silence un groupe d'hommes noirs, presque entièrement nus, qui transportaient un homme blanc, lié à des perches comme un gibier. Ces nègres, de haute taille, couraient vers le pénitencier, traversant les cultures avec indifférence.

– Un copain qui a voulu s'évader, dit un voisin d'Hector. On ne s'échappe pas du bagne. Sur la côte, les requins montent la garde. Et, dans la forêt, les sauvages. Comme ils sont anthropophages et que l'administration ne veut pas qu'ils boulottent les fugitifs, elle leur verse une prime s'ils les rapportent en bon état. Des bêtes puantes ! Pire que les requins !

Hector se remit au travail sans répondre. À partir de ce moment-là, il ne pensa plus qu'aux hommes de la forêt. Comme en Égypte, la rêverie, la méditation, revinrent lui tenir compagnie. Il reprit goût aux longues marches, ne pouvant néanmoins pas trop s'écarter du périmètre du pénitencier. Le sable du désert, l'air sec, le calme du Nil, lui convenaient mieux que cette exubérance tropicale, cette chaleur humide, ces cris d'oiseaux qui ressemblaient à des râles. Ces lianes, ces palmes, ces vagues furieuses qui fouettaient le rivage.

Difficile d'avoir accès à ceux que ses compagnons appelaient des sauvages et qui vivaient au cœur de la forêt. Toutefois des Canaques, en très petit nombre, s'étaient engagés au service du pénitencier, s'occupant aux cuisines ou au nettoyage. La manière dont les déportés se conduisaient, les traitant en domestiques, pour ne pas dire en esclaves, le stupéfia. Comment les martyrs de la Commune pouvaient-ils se comporter ainsi avec des hommes vaincus comme eux ? Ils lui répliquaient que ces nègres baragouinaient un langage incompréhensible et qu'ils sentaient mauvais comme les porcs.

Imitant les sauvages, Hector enduisit ses mains, ses jambes, son visage, d'une huile de coco qui chassa les moustiques dont les piqûres incessantes rendaient la vie si difficile aux Européens. Mais en chassant les moustiques, il chassa aussi ses compagnons de la chiourme. Aucune case ne voulant plus l'accepter, puisqu'il « sentait le nègre », il s'installa dehors, sous une hutte de branchages. Peu à peu, une familiarité s'établit à un tel point entre Hector et les Canaques « civilisés » que ces derniers lui proposèrent de l'emmener une nuit dans leur tribu, au cœur de la forêt.

Il s'y rendit ensuite souvent, en secret. Le vieux chef lui raconta comment son peuple avait reçu avec des colliers de fleurs les premiers navigateurs débarqués dans son île, comment il les avait conviés à manger l'igname, comment les Blancs l'avaient trahi lorsqu'il leur eut indiqué tous les repères, les bonnes rades, les coins de pêche, les terres les plus fertiles. Ils avaient pris les terres, creusé des ports dans les rades, brutalisé les hommes, violé les femmes et fait venir du pays des Blancs des criminels dont eux, les natifs de l'île, devaient être les esclaves.

Hector eut beaucoup de mal à lui faire admettre

que les déportés n'étaient pas des criminels, mais des révoltés également vaincus par les mauvais Blancs, des révoltés devenus esclaves comme les Canaques. Là, le vieux chef ne comprenait pas. Comment des esclaves pouvaient-ils opprimer d'autres esclaves ? Pourquoi ne s'étaient-ils pas joints aux révoltes canaques pour détruire leurs oppresseurs ? Hector ne savait quoi répliquer car lui-même ne comprenait pas.

Il se retrouvait comme en Égypte, peu à peu envoûté par un monde (mais un monde, hélas ! sans almées !) si différent de celui dans lequel il avait cru. Tout comme les Arabes, les Canaques vivaient de presque rien, non pas rebelles au progrès, à la modernité, mais indifférents à ce que les Européens appellent la marche du monde, indifférents à cette prétendue marche parce qu'ils avaient la conviction que le monde avait toujours été immobile et qu'il ne fallait surtout pas le remuer.

Il eut la stupeur de s'apercevoir, lui, l'homme du métal, que les Canaques ignoraient l'usage du fer. Leurs haches, leurs herminettes, tous leurs outils étaient façonnés en pierre polie. Ils se servaient de bâtons à pointe durcie au feu pour labourer la terre. Au contraire des déportés, contraints à construire eux-mêmes leurs « maisons » et qui édifiaient empiriquement des cabanes rappelant à Hector les taudis de la Petite Pologne, les sauvages montaient des paillotes rondes, groupées les unes près des autres, avec des toits très élevés couverts d'écorces. Ces constructions stupéfièrent Hector par leur qualité architecturale. Leur structure, très souple, ne rompait pas dans la tempête comme les huttes des déportés que chaque tornade balayait.

Leur qualité architecturale... Cette expression revint comme une phrase très ancienne, d'une autre langue que celle de la déportation, d'un monde perdu. Les paillotes des Canaques, si parfaitement adaptées au climat et à l'environnement hostiles, lui rappelèrent qu'il avait été architecte, lui rappelèrent Ambroise, lui rappelèrent cette formidable utopie d'un univers neuf et glacé qu'il lui semblait néanmoins avoir poursuivie dans une autre vie. Il retrouva tout à coup des gestes, un besoin d'outils de mesure. Où se procurer une équerre, un T, des crayons aux mines affûtées ? Ah ! sa canne métrique pour mesurer ces portes si basses que les Canaques ne sortaient de leurs demeures qu'en rampant...

Les compagnons de déportation d'Hector ignorèrent toujours ses escapades dans la forêt. Mais ils avaient remarqué, évidemment, sa sympathie pour les Canaques du camp et la familiarité qui s'établissait entre eux et lui. Comment, lui disaient-ils, peux-tu aimer les anthropophages ? Il leur répondait que le pouvoir anthropophagique, en France, dépassait de beaucoup celui des Canaques. On n'y mange pas les corps, sans doute, mais on les torture, on les mutile, on les écrase, on les jette à la voirie. Tuer pour apaiser sa faim est plus sain. Thiers et Mac-Mahon pourraient donner au plus féroce des Canaques des leçons d'anthropophagie !

Thiers, Mac-Mahon, comme tout cela s'éloignait, très loin. Courbet, Proudhon, eux-mêmes, il avait du mal à se les remémorer. Ils lui rappelaient pourtant confusément que s'il existe un crime impardonnable, c'est d'être pacifique et libertaire.

Le soleil des tropiques lui tannait la peau. Le soleil et l'amertume. Il se desséchait. Et dans ce dessèchement, les événements de Paris se ratatinaient. Paris était trop loin et les Canaques si près. Il se découvrait maintenant plus proche des Canaques que de ses compagnons de la Commune. Si proche ! Pas de chemin de fer en Nouvelle-Calédonie. Pas d'autre industrie que les gisements de nickel dans lesquels travaillaient les forçats. Il restait encore dans l'île de ces réprouvés qui s'obstinaient à survivre. Il les apercevait parfois, traînant leur boulet au pied, liés par une double chaîne, piochant les roches. Il lui sembla, un jour, reconnaître Morny, bien décati. Non, Morny était en enfer, bien sûr, mais pas dans celui-là. Condamné sans doute à la copulation perpétuelle.

Hector n'avait pas tout à fait soixante ans. Il se sentait très vieux. De plus en plus vieux. Les images de sa vie, les tendres, comme les acides, lui revenaient de plus en plus souvent, dans une sorte de flou, de rêve. Et toujours surgissait, comme Vénus naissant de l'écume des mers, le corps splendide de Julie.

Un si bel espoir

Hector mourut sans doute un jour, dans cette île perdue de l'autre côté du monde. Sans doute, puisque nous mourons tous, mais personne en France ne l'a su.

Toute son architecture de papier, brûlée dans l'incendie de l'Hôtel de Ville, demeura inconnue pendant un siècle. Jusqu'à ce que l'on retrouve par hasard, dans une cave de la rue du Sentier, sous des ballots d'étoffes, un gros paquet de dessins et de plans, maculés de traces d'humidité, parfois rongés par les rats, qui nous ont permis de restituer la mémoire de cet architecte oublié.

Du même auteur

ROMANS

Éditions Albin Michel

La Mémoire des vaincus
Le Roman de Rabelais (Prix des Maisons de la Presse)
Le Marin des sables
Ma sœur aux yeux d'Asie
Les Mouchoirs rouges de Cholet (Prix des lectrices de *Elle*)
La Louve de Mervent
Le Cocher du Boiroux
Drôles de métiers
Les Quatre Murs
Le Jeu de dames
Nous sommes 17 sous une lune très petite
Enfance vendéenne (L'Accent de ma mère, Ma sœur aux yeux d'Asie, Enfances vendéennes)
Les coquelicots sont revenus

ESSAIS

Histoire de la littérature prolétarienne, Albin Michel
L'Accent de ma mère. Coll. « Terre Humaine », Plon
La Voie libertaire. Coll. « Terre Humaine », Plon
1793. L'Insurrection vendéenne et les malentendus de la liberté, Albin Michel
D'une berge à l'autre, Pour mémoire 1943-1953, Albin Michel

CRITIQUE ET HISTOIRE DE L'ART

L'Art Abstrait, tomes 3, 4, 5, A. Maeght
Naissance d'un art nouveau, Albin Michel
Atlan, mon ami, 1948-1960, Galilée
Karel Appel, de Cobra à un art autre, Galilée
Jean Dubuffet, paysages du mental, Skira-J. Bucher
Jean Dubuffet, Fall éditions
Les Ateliers de Soulages, Albin Michel
James Guitet, les forces du silence, SMI
54 Mots-clés pour une lecture polyphonique d'Agam, Fall
Le Dessin d'humour, « Points-Virgule », Éd. du Seuil
Journal de l'Art Abstrait, Skira
Martin Barré, Calder, Corneille, Fautrier, Étienne-Martin, Kemeny, Kœnig, Marta Pan, Poliakoff, Schneider, monographies chez divers éditeurs.
Histoire des arts plastiques de 1945 à nos jours. Entretiens avec Alain Vollerin, 5 vidéocassettes de 53 mn, Mémoire des Arts
L'Art Brut, Corneille, Dewasne, Denise René, Doucet, Étienne-Martin, Guitet, J.-P. Raynaud, Soulages, Takis, Venet, Zao Wou-Ki, vidéocassettes, Mémoire des Arts
Du côté de l'Art Brut, Albin Michel
Le Regard et la Mémoire. Portraits-souvenirs de Atlan, Poliakoff, Dubuffet, Chaissac, Fautrier, Hartung, Albin Michel.

URBANISME ET ARCHITECTURE

Histoire mondiale de l'architecture et de l'urbanisme modernes :
Tome 1, Idéologies et Pionniers, 1800-1910, Casterman
Tome 2, Pratiques et Méthodes, 1911-1985, Casterman
Tome 3, Prospective et Futurologie, Casterman
Esthétique de l'architecture contemporaine, Griffon, Neuchâtel

L'Homme et les Villes, Albin Michel
L'Architecture, le Prince et la Démocratie, Albin Michel
L'Espace de la mort, Albin Michel
L'Architecture des gares, Denoël
Claude Parent, monographie critique d'un architecte, Dunod
Le Temps de Le Corbusier, Hermé
C'est quoi, l'architecture ? Coll. « Petit Point », Éd. du Seuil
Histoire de l'architecture et de l'urbanisme modernes, 3 vol., « Point Essais », Éd. du Seuil

BIO-BIBLIOGRAPHIE

Autour de Michel Ragon, musée des Beaux-Arts de Nantes, 1984.
J'en ai connu des équipages, entretien avec Claude Glayman, J.-C. Lattès
Michel Ragon parmi les siens, Plein Chant, n° 64-65, 1998

Edition exclusivement réservée
aux adhérents du Club
Le Grand Livre du Mois
15 rue des Sablons
75116 Paris
réalisée avec l'autorisation des éditions Albin Michel

*La composition de cet ouvrage
a été réalisée par I.G.S. Charente Photogravure,
à l'Isle-d'Espagnac,
l'impression a été effectuée
sur presse Cameron dans les ateliers*
de Bussière Camedan Imprimeries
à Saint-Amand-Montrond (Cher),

Achevé d'imprimer en décembre 1998.
N° d'impression : 985646/4.
Dépôt légal : janvier 1999.